SON CARİYE

Semih Bulgur

ANEMON
İSTANBUL - 2015

Hep çirkin kadınlarla beraber oldum,
sırf mutlu olsunlar diye ama hep güzel
kadınları sevdim ölümüne...

Son Cariye

Çok soğuk bir gün, pardösümle sarmaş dolaş buzlu bir kaldırımda, acelem olmasa da koşar gibi yürüyorum. O kadar alışmışım ki koşturma ve strese, normal bir hayatım olmayacak gibi geliyor. Tatilde kahvaltı yaparken bile terleyerek, arkamda koşturan varmış gibi yiyorum. Modern hayatın cilveleri işte...

Aslında bu hayat, kaymağını yerken çok güzel! Yani akıllı telefonlar, uzaktan kumanda, üç boyutlu bir film, Facebook'tan yakalanmış bir sevgili; ağızda daha sindirilmeden eriyen bir şeker gibi.

Artık, erkek olmak için savaşlarda kılıçla veya boğazlanarak ölmüyoruz ama kılıç değil de rahat batıyor kıçımıza, sonra yumuşayıp hepimiz kadınlara benziyoruz.

Ve yalanların bile sanal olduğu bir çağda yaşıyoruz. Sevgililer bile sanal, pamuk gibi eller klavyenin ucunda, masum bir bakış HD kalitesinde, en iyi, en anlayışlı, namuslu ve özgür sevgili; ince belli, dokunmatik bir tablet bu aralar.

Dijital mutluluğun rehavetiyle önce obez oluyoruz. Ve bu çağın başka hastalıkları da var! Ama onlar AIDS değil, kanser değil, Ebola da değil. Çağımızın hastalığı yalnızlık, stres ve can sıkıntısıdır.

Örneğin, 'hep kazan, hep çalış, çok çalış, daha çok çalış, zayıf halka olursan yok olursun, hep daha önde olmalısın, arkada kalanları kurtlar kapar' zihniyeti üzerimizden gözlerini hiç ayırmaz. Bu baskıların altında çok çalışıp çok kazanırız ve kendimize yeter hale geliriz.

Bu sefer de çıtalar yükselir, hiçbir şeyden tatmin olmaz ve hiçbir şeyi beğenmez oluruz. Sonuç olarak da yalnız ve güvensiz bir hayat yaşamaya mahkûm kalırız.

Tabii kazanılan paraların getirdiği kaybetme korkusu, beklentilerin artmasıyla daha çok kazanma hırsı ve beraberinde uzun mesai saatleri ve ağır çalışma ortamı...

Bunların yanında kendini sizi ezerek tatmin eden patronunuz veya müdürünüz varsa, bir de beraber çalıştığınız insanlar kuyu kazar, laf taşır, çamur atarsa, alın size stres kaynakları...

Böyle yoğun bir tempoda can sıkıntısı olur mu? Olur! Yoğun tempoya alışan vücut ve zihin, ufak bir tatilde veya hafta sonu, hemen o yoğun ve stresli tempoyu arar.

Ve en kötüsü de, düşünmeyi unuturuz. Düşünmek zor iştir, bu yüzden pek az kişi düşünür. Çünkü yaşadığımız dünya, düşünmemizi engellemek için var gücü ile çalışıyor. Biz de kendimizi hayatın girdabına bırakıverir, bir sandalye, bir masa gibi gelip geçeriz bu dünyadan.

Ama ben bu hastalıklara bir çare olduğuna inanıyorum. Eğer hayattan sıkıldıysan, 'her gün aynı, her şey aynı' diyorsan, 'televizyonda aynı yüzler, kafamda aynı düşünceler, endişeler, okulum aynı, işim aynı, eşim aynı, annem aynı, kızım aynı, kendim aynı' diyorsan, bitmesi için başlanan ilişkiler yaşıyorsan, 'insanlar riyakâr, düzenbaz ve menfaatçi' diyorsan, stres, yalnızlık ve can sıkıntısı çekiyorsan...

Hemen her şeyi bir tarafa bırakın, ceketinizi giyin ve dışarı çıkın. Bildiğiniz en yakın devlet hastanesinin veya işlek bir hastanenin acil servisine gidin.

Kapısından girip hastane kokusunu içinize çekin ve genellikle duvar kenarında olan sandalyelerden birine oturup olan biteni seyretmeye başlayın.

Orada, tansiyonu inmiş, çıkmış nineleri göreceksiniz, kan içinde sedyeler geçecek yanınızdan, kolu bacağı kırılmış, kaşı gözü patlamış insanlar, inleyen, ağlayan, sızlayan hastalar, feryat eden yakınlar, yorulmuş doktorlar, her tarafı kan içinde hemşireler, hasta bakıcılar göreceksiniz. Acı dolu gözler, bir saniye daha yaşamak isteyen bakışlar göreceksiniz, ağlayan bebekler, kahrolan anneler göreceksiniz.

Bunları gördükten sonra oradan çıkın ve evinize gidin. Biraz oturup, üşenmeden ve üşütmeden düşünün. Sonra hayatınıza yeniden başlayın. Ben denedim ve her seferinde yeniden başlamayı başardım.

Başardığım şey hayatta kalmaktı, benim için büyük bir başarı. Yaşadığım derin depresyonlar, mutsuzluk krizleri yüzünden defalarca intiharın kıyısından döndüm.

Hâlâ yaşamamın sebebi; inancımın bu dünyanın geçici bir eğlenceden ibaret olduğunu öğretmesi ve hastane acil servisleridir. Esasında büyük başarı, büyük mutluluk başka bir yerdedir, onu arayan, inanan ve aklını işletenler için...

Acımasız kapitalizmin tapınağına yani bankaya giderken aklımdan işte böyle gereksiz, verimsiz, kârsız aptalca duygusal şeyler geçiyordu.

Bankaya gidiyordum, biraz kendimi biraz da cebimi ısıtmak için, havalem bugün gelecekti. Buzlu kaldırımda yürümekteyim iki kolum açık, birinde resim çantam diğerinde bilgisayar çantam.

İki kolum havada pervaneli uçak gibi yürüyorum, deliymişim gibi bakıyorlar, ben de deliriyorum. Yüzüm lastik gibi şekilden şekle giriyor, sanki donmak üzere olan mimiklerimden ruh halim sarkıyordu.

Yaşadığım ruhsal rahatsızlıklardan dolayı yüzümde bazı izleri kaldı. Tabii bunlar bıçak izi, yara gibi şeyler değil, bazen çok komik, tuhaf bazen de çok tehlikeli olan mimiklerim ve tiklerim.

Zaman zaman stresli anlarda suratımın bir tarafı gülüyor, bir tarafı mutsuz gibi sarkıyor. Bazen bir kaşım kalkıyor, gözlerim kayıyor, dudaklarım uzuyor ve normal insanlar buna gülüyor.

En garip olanı da durup dururken göz kırpmam. Bazen tek gözüm, bazen ikisi birden selektör gibi açılıp kapanıyor. İşte tehlikeli olan tikim bu!

Geçenlerde bir alışveriş merkezindeydim. Elimde olmadan, otomatiğe bağlamış şekilde gözlerimi kırparken karşıma gelip çok güzel bir kadın oturuverdi. Kadın hiç ilgimi çekmemiş, ben sadece ekmek arası Amerikan köftemi yemeye çalışıyordum.

Ama köfteden sonra tatlı niyetine sağlam bir Osmanlı dayağı yemek zorunda kaldım. Kadının direk gibi kocası ve fıçı gibi abisi ona göz kırptığımı zannedip beni evire çevire dövdüler.

Derdimi anlattığımda kafam gözüm morarmış bir şekilde, güvenlik görevlilerinin kollarında buldum kendimi. Arkadan son tekmeyi de onlar vurdu. Hesabı ödememiş bir ayyaş gibi AVM'nin kapısının önüne attılar beni.

Evet, sanatla tanıştıktan sonra daha da delirdim. Allah ruhundan biraz fazla üflemiş bizlere, nasıl şaşırmaz nasıl delirmezsin ve nasıl şükür etmezsin.

Yaşanan sıkıntılara, belalara, haksızlıklara rağmen öyle büyük nimetlere sahibiz ki, şükrümüzü yazmaya kalksak Dünya'daki bütün ağaçlar kalem olsa, bütün denizler mürekkep olsa yine de bitiremeyiz.

Öykülerimi yazarken onları yaşıyorum avucumun içindeymiş gibi. Nereye istersem oraya gidiyorum, ne istersem onu yiyorum, bir karıncayla el sıkışıyorum, çok güzel bir kadınla ıssız bir adada sıkışıyorum, bir elma çizip onu yiyorum, üşüyünce bir kalorifer peteği ve ilhami ilahiyi duyuyorum. Bunlar şaşılacak şeyler doğrusu.

Bu sanatsal üretim süreci, sanki bir şizofreni nöbeti gibi oluyor. Bana bazen cenneti yaşatıyor bazen cehennemi.

Arabada yalnız giderken sesler duyuyorum, melodik sesler oysa konuşan sadece 1500 cc dizel bir motor. Kesik başlar görüyorum metroda, mahallede yürürken pencereden sallanan çıplak insanlar görüyorum. Bizim dağ evinin çatısında keskin nişancılar inekleri hedef alıyorlar. Telefonlarım dinleniyor, evim izleniyor.

Eminönü meydanında bir simitçinin elinden susamlı Nobel ödülümü alıyorum. Meydan alkışlıyor, vapurlar bağırıyor, arabalar sıkışıyor. Onlarca mankenle Büyükada'da mahsur kalıyoruz, son vapur son seferine çıkmış, evler yok atlar bile yok. Kızlar beni kovalıyorlar ben kaçıyorum...

En güzeli de kendime göre hayatın anlamını yakalamak. Yoktan var olduğumuz, cennetten kovulup dünyaya atıldığımız, büyüyüp adam olduğumuz bu hayatın anlamı nedir?

Son günlerde işi gücü bırakıp, milyonlarca yıldır insanlığın, filozofların, düşünürlerin, bana göre cevabını bulamadıkları bir sorunun peşine düştüm: "Hayatın anlamı nedir?"

Ya da hayata anlam katan şey nedir? Aslında herkese o kadar yakın ki bu sorunun cevabı. Herkesi o kadar yakından ilgilendiriyor ki.

Tabii bu, hayatına anlam katmak isteyen, hayatı yatıp kalkıp, yiyip içmekten ve ömür süresini doldurma bekleyişinin ötesinde gören insanlar için geçerlidir.

Bunlar, bütün gün akıllı telefonlarda oyun oynayan, tuvalete bile giderken sosyal medyadan izin alan, futbol ve siyasette uzman olan, yılda bir sayfa kitap okumayan halkımızın büyük bir bölümü için uygun şeyler değil, yani düşünmek...

Cevapsız soruların cevabı; her şeyi göze alıp sıradanlığın ötesine adım atabilme cesaretini gösterebilenler içindir.

Bu dünyaya nereden geldik, nereye gidiyoruz ve neredeyiz sorularını soranlar içindir. Günübirlik, hiçbir şeyi sorgulamadan yaşamak da bir hayat tarzı seçimidir. Fakat bu seçim, bu dünyada bir mezar taşından başka bir iz bırakamaz.

Hayatın anlamı; öldükten sonra güzel bir şekilde anılacağımız eserler bırakmaktır. Bu aynı zamanda, her şeyin maddiyat, çıkar ve sömürü fırsatına dönüştüğü günümüz dünyasında, öldükten sonra yaşamanın da bir yoludur.

Neden öldükten sonra yaşamak? Ekmek parası davasına veya daha çok daha çok kazanmak için bir koşuşturma, bir curcuna içinde günleri, yılları dakikanın saniyeleri gibi tüketmiyor muyuz? Peki, geriye ne kalacak?

Bir eser bırakmak için büyük bir ressam, büyük bir yazar, büyük bir iş adamı veya büyük bir mimar olmak gerekmez. Hayırlı bir evlat dünyaya getirmek, yaptığın iş her ne olursa onu iyi yapmak, hayra, barışa yönelik bir şeyler yapmak, bir merhamet, bir tevazu, bir teşekkür de birer eser bırakmaktır.

Çünkü yaptığınız insani şeyler de hatırlanmanızı sağlar, sizi unutulmaz kılar. Bunun yanında yaptığınız kötülükler, çirkinlikler de unutulmaz. Evet, 'bu da kalıcılığın iyisi kötüsü olmaz' diyenler için bir yöntemdir. Mesela Ortadoğu'da olduğu gibi arkanızda ölü bebekler bırakarak kalıcı bir esere sahip olabilirsiniz.

'Hayatın anlamı benim için farklıdır' diyebilirsiniz ama bence hayatın en anlamlı anlamı bu! Hayatına anlam katmak isteyen herkes her ne olursa olsun bir eser bırakmayı denemelidir.

Evet, eser bırakmak zorlu bir süreç ama eseriniz her neyse karşınıza koyup onu izlediğinizde bütün yorgunluk, durgunluk ve solgunluk uçar gider, geriye tatlı bir tebessüm ve kalıcı olabilmenin hafifliği kalır.

İşte sanat sayesinde bıraktığım eserler benim hayatımın anlamı oldu.

Elimden hiç düşmeyen iki çanta bana denge sağlıyor, motorum sussa da, pervanem dursa da, yıkılsam da düşmüyorum. Bir elimde mutlu olmasam da mecburen yaptığım avukatlık ve diğer elimde âşık olduğum sanat.

Bir elimde demokrasin kılıcını ve diğer elimde delilik, ikisini terazide tutmaya çalışıyorum. Henüz mütevazı şeyler üreten bir fani olsam da, delirmiş bir dahi olmanın peşindeyim.

Kalbimi şiddetle sıkan umutsuz aşklar, sevmediğim tek düze, stresli işim ve ailemle yaşadığım kavgalar, beni intiharın kenarına getirdiğinde yaşımın ve hayat denen asma köprünün tam ortasındaydım. Ve oraya kadar binlerce insan tanımış, yüzlerce iş yapmış, onlarca oluşa hayat vermişken, sadece sanat elimden tutmuştu.

Sadık bir sevgili, acı söyleyen bir dost, merhametli, anlayışlı bir düşmandı sanat, acısı, yumruğu bile tatlıydı. Başka dünyaların kapılarını açtı, uçurumlardan atlamaktansa o kapılardan içeri girdim, kısa yoldan ölmenin değil kalıcı olmanın yolunu gösterdi bana...

Kadınlar geçiyordu kaldırımdan kafası sarılı, kafası açık bedeni sarılı, kafası kapalı bedeni açık, her yanı açık saçık, sarkık kaçık kadınlar geçiyordu. Çocukluğumdan beri kadınları hiç sevmedim. Onlar hep kibirli, burnu büyük, hasta, kirli, sinirli ve anlaşılmaz oldular.

Sevmedim derken âşık olmadım diyemem. Aşktan defalarca aklımı yitirdim, kalbim boğazımda dörtnala atarken damarlarım çatladı. Ama hep yanlış zaman yanlış mekan, hep mütevazı kızlarla beraber oldum, sırf mutlu olsunlar diye ama hep güzel kadınları sevdim.

Üniversitede bana göre dünyanın en güzel kadını arkadaşlarıma göre bir ucubeyi sevdiğimde arabam olmadığı için onu kaptırmıştım. Otostop çekerek kaçmıştı ellerimin arasından. Arabam ve her şeyim olduğunda o ölmüştü. Evet, her şeyim olduğunda her şey geçip gitmişti. Kazanan yine zamandı.

Modernizmin birçok şeyi gibi, aşkları da öyle naylon hale gelmiş ki, vurayım diyorum kendimi köyümün yollarına ve bulayım diyorum orada lezzeti, taş fırınında, bahçe salatasında ve durulayım diyorum kara gözlü bir köylü kızında.

Evet, modern hayatın avantajlarının bedeli çok ağır ödeniyor. İşler iyi gitmeyince veya aldatılınca sisteme sövüp sayan, her şey yolunda iken kaymağını yiyen birinin sözleri değil bunlar. Eğer yaşadığınız şeylerde bir inanç ve

devamlılık yoksa, sistem ne olursa olsun sonuç hüsrandır. Dolayısıyla aşk ve sevginin yozlaşması bizi duygusuz, merhametsiz, aldatmaya programlanmış robotik canlılara dönüştürüverdi.

Yetmişli yılların içten, duygusal ve billur gibi şarkıları ile büyümüş, eski Türk filmleri ile aşkı tanımış insanlarda, şu modern aşk bulaşıkları bünyesel bir rahatsızlık yaratmıyor mu? Yaratıyor. Ama bırakmışız kendimizi girdabına modernizmin, bir orada bir burada, bir onda duruluyoruz bir de bunda.

Yaşanan bu sanal, sentetik Facebook aşkları; alkolik sevişmesel aldatış pişmanlıklarını, çok eşli ahlaksızlık ve özgürlük lakırdılarını ve sokağa kadar inmiş erotizm takıntılarını barındırıyor.

Genelde modern insanın ömrü verimsiz, sevgisiz bir biçimde, eski aşklar mezarlığında kazma ve kürek ile geçer. Her yer böyle kan revan olunca gençler evlenmiyor, sevmiyor, geçici ilişkilerde, ufak tatminlerle günü idare ediyorlar ve evlenenler de boşanmaya eğilimli oluyor.

Bu çelişkili ilişkiler, yaşanan ekonomik ve sosyal gelişmelerin bir sonucudur. Bundan onlarca yıl önce erkek kadına bakar ve onu korurdu. Kadın da erkeğe saygı duyar ve onun hayatını kolaylaştırmaya çalışırdı.

Kadınların yüzyılını yaşadığımız şimdilerde işler değişti. İlişkileri böyle mutsuz kılan kadınların bu yükselişi mi? Kadınlar sever mi, hesap mı yapar?

Annelerimiz gibi bir palto ile on yıl geçirip "Aman sevdiğim adam yanımda olsun!" diyen kadın mı kaldı? Kadınların bitmek bilmeyen isteklerini karşılayabilecek erkek mi kaldı?

Artık kadın çalışıyor, üretiyor, direniyor ve kazanıyor. Güçlenen kadın da yılların prangalarını söküp atıyor ve özgürlüğü tercih ediyor. Peki erkeklerin hiç mi suçu yok?

Evet, bazı kıyamet öngörüleri gerçek oluyor "Erkekler kadınlara, kadınlar erkeklere benzeyecek." Erkeklerin güçlü kuvvetli, duyarlı, dışa dönük, makul yönü nereye gidiyor; o sert, sağlam duruşlu taş fırını erkeği nerede? Bir zamanların mert, güçlü, delikanlı erkeği, göbekli, hantal, kafası karışık, pısırık, pasif, yorgun ve hasta bir hale geldi.

Erkeğin kolu kanadı mı kırılıyor, yoksa rüzgârın yönü mü değişiyor? Geleneğin abartıları mı karşımızdaki; yoksa annelerin aşırı korumacı rolü mü erkekleri bu hale getirdi?

Günümüz erkeğinin durumu da bu olunca, ilişkiler ilişkiler içinde, çelişkiler çelişkiler içinde yaşanıyor; aldatılanlar, boşananlar artıyor da artıyor.

Çok ilginçtir, Batı'nın geçirdiği teknolojik süreci geriden takip ettiğimiz gibi, sosyal ve kültürel süreci de aynen arkasından takip ediyoruz. Yani bundan onlarca yıl sonra boşanmalar ve çarpık ilişkiler ve yalnızlığımız, kalabalık yalnızlığımız daha da artacak.

Her konuda olduğu gibi duygu, aşk ve cinsellik konusunda aç olan bizler, Avrupa ve Amerika'da olmayacak kadar uç noktalarda, sokağa kadar inmiş şekilde ahlaksızca tüketiyoruz sevgiyi ve aşkı. Bu kadar karamsar da olmamalı, milyonda bir de olsa gerçek aşkı bulma şansımız var.

Onu bunu bilmem, benim gönlüm 70'lerde kaldı, utanmasam giyeceğim İspanyol paça pantolonları, göbeğe kadar bağrı açık ve dev yakalı gömlekleri, vuracağım kendimi arnavut kaldırımlı yollara.

Kaldırımdaki insan denizini yarıp geçmeye çalışırken ve sarıp sarmalarken bedenimi, işte bunları düşünüyordum. Ben hâlâ 70'lerde yaşayan aptal duygusal insanlardan biriyim.

Hâlâ hafif İspanyol paça pantolonlar giyiyorum ve rengarenk çiçekli gömlekler. En çok da o zamanın sanatını severim ve o yılların müziklerinin ve eski Türk filmlerinin bağımlısıyım diyebilirim.

Sanat o zamanlar sanatmış, kalıcıymış yoksa yüzlerce kez izleyip tekrar izlediğimiz Türk filmlerini nasıl açıklarız? Farklı bir samimiyet vardı sanki o yıllarda; aşklar samimi, bakışlar samimi, dostlar samimi, arkadaşlar samimi, savaşlar bile samimiymiş.

Kasım ayının kasıp kavuran havasında, bankanın camdan dev kapısının önüne gelmiştim. Havadan daha soğuk bakışlı olan güvenlik görevlisine karşılıksız bir selam verip bankanın bekleme salonuna geçtim.

Burası sımsıcaktı, kalabalık ve hareketliydi. Bankalar ne kadar da iyi bakıyor yolunacak kazlara, yani biz müşterilerine diye düşündüm.

İşte her gün gibi bir gündü. Tabii bana göre öyleydi oysa geleceği bilemeyince hiçbir gün sıradan değildir. Bana göre tesadüf, Allah'a göre kusursuz bir plandı yaşadıklarımız.

Ve kusursuz hesap yapanın planını bekliyordum bankanın tam ortasında, soluk bir pardösü, donuk bir surat ve yolunmuş yorgun bir kafayla…

Kemiklerim ısınmıştı şimdi sıra cebimi ısıtmaya gelmişti. Kalabalığı yarıp sıra almalıydım, burada herkes eşitti ve herkes sıraya girerdi. Buralarda para önünde herkes eğilir, sakinleşir ve haddini bilir insan olur insan. Sosyal bir kapitalizm yaşanır, sanki karneyle para dağıtılır banka gişelerinde.

Her şey parayla ama para bedavadır sanki kredi çekene ve mağazalarda kart çekene. Eli açıktır, bonkördür bankalar, zekat verir gibi yoksula, yetime, yolda kalmışa bol bol para dağıtırlar. Ve herkes fakirmiş, muhtaçmış gibi kartları 'cırt cırt' çekerek sadakalarını afiyetler yer. Sonra birkaç kişi zengin olur; bütün bir halk yoksul…

Kalabalığın arasına dalıp dijital sıramı almaya çalışırken gök kararıp, yarılmıştı, kükremeye, homurdanmaya başlamıştı ve tandır kaynıyordu. Bu aralar mevsimler değişti sanki yazı yaz olmuyor, kışın da kış olmuyor.

Hortumlar, fırtınalar, avuç dolusu dolu yağıyor, hortumcular sel olmuş götürüyor ülkemi. Küresel ısınma senaryoları mı gerçek oluyor yoksa bunca riyakârlığa, ikiyüzlülüğe, hırsızlığa, yolsuzluğa karşı Rabbimin gazabı mı bu?

Bu fırtına öncesi bir sessizlik değil tam bir karmaşa, kaos, umutlu bir huzursuzluktu. Belli ki yıldırım çakacak, fırtına savuracak, ortalık karışacak ama sonra toprak can bulacak!

Hissediyordum, depremi algılayan karıncalar gibi, fırtınayı gözleyen kuşlar gibi kıpır kıpırdı bedenim, oturduğum yerde koşuyordum. Bir şeyler olacaktı ama endişelenmiyorum yapan da O yaptıran da O.

Yani hislerim biraz kuvvetlidir ne zaman bir şey olacak dedim mi mutlaka olur. Tabii genelde olumsuz şeyler. Ne zaman bugün polis beni çevirecek dediysem şöyle okkalı üç haneli bir trafik cezası yemişimdir. Ve ne zaman kötü bir şeyler olacak dediysem bir yakınımın başına bir şeyler gelmiştir. Yani baya bir şom ağızlıyım galiba. Ve yine hissediyordum bir şeyler olacaktı.

Bankada gişe işlemleri butonuna basarken gözlerimiz kesişti, ellerimiz birleşti. İki yabancı eş zamanlı olarak uzatmıştık parmaklarımızı… O an çakmak çaktı sanki alev aldı her taraf, altımızdaki mermer bile benzin dökülmüş gibi parlayıp yanıyordu.

Pamuk ellere temas ettiğim gibi elektriğin de ötesinde yıldırım gibi bir çarpılışla çarpıldım. Zaman durmuştu,

etrafımızdaki herkes donakalmıştı. Sanki yalnızca biz var-
dık bankanın cilalı mermer salonunda. Saki bir film sah-
nesinde, asılı kalmıştık boşlukta ve üç boyutlu bir kamera
etrafımızda dolaşıyordu.

"Affedersiniz" deyip elini ürkek bir ceylan gibi hız-
lıca çekti.

Ben ise siyasete yeni atılmış bir politikacı gibi saatlerce
ona dokunabilir, elini sıkabilirdim. Ama onlar gibi yalan
söyleyemezdim, yarım saat sonra onunla evlenebilecek ka-
dar âşık olmuştum.

Aşkın acısını da tatlısını da bir yudumda içerdim o an.
Zaten şerbetli bir turşu gibi iniyordu boğazımdan, midem
şimdiden yanmaya, kaynamaya başlamıştı. Ayaklarım yere
basana kadar donup kalmıştım havada, hiçbir şey söyleye-
medim.

Öyle güzel, öyle derin ve kapkara gözleri vardı ki. Öyle
genç ama öyle yaşamış bakıyorlardı ki. O kara gözler, o
dalgalı siyah saçlar hayatımın en renkli anlarını yaşatmıştı
bana.

Siyah pardösüsü ile arkasındaki beyaz duvarda sanki bir
mürekkep damlasıydı. Öyle masum, öyle bilge, öyle çarpı-
cıydı ki duruşu... Parayı, pulu unutup anılardan, acılardan
ve aldatan bacılardan bir yığın, bir çuval gibi kala kalmış-
tım bankanın ortasında.

Ben onun derinlerine böyle dalmış gitmişken, gözüm di-
jital göstergeye takıldı. Benim gişe sıram çoktan geçmişti.
Ben de tekrar numara alıp bekleme bölgesindeki koltuklar-
dan birine oturdum.

Numara, para pul, havale umurum da değildi, çünkü daha kârlı bir ticaret, karşılıklı olduğunda en büyük zenginlik ve mutluluk yani aşk yanı başımdaydı.

Yatırım yapacaksan aşkın gerçeğine yatırıp yap, eğer doğrusunu bulduysan bir ömür sonra % 2000 kazandırır. Tabii her kalp çarpıntısına, nefes kesene, dudak uçuklatana aşk deyip kapılıp gidersen ömrün sonunu zor görürsün.

Hepsi bir yana aklım fikrim ondaydı. Aradan bir-iki dakika geçmişti ki birden arkasını döndü ve yavaş adımlarla gelip yanıma oturdu. Bir sürü boş koltuk varken gelip benim yanıma oturmuştu. Kalbim pır pır atıyor, biraz mutluluk, biraz heyecan, biraz da korkuyla her yanım titriyordu.

Şaşırmıştım, neden benim yanıma geldi? Böyle güzel bir kızdan böyle yüreklendirici ve yürek delici bir hareket ilk kez görüyordum. Eh elim yüzüm düzgündür, façam da iyidir, kimin yanına oturacaktı diyerek korku ve heyecanı mı dizginlemeye çalıştım.

Aslında bu tatlı heyecan ömür boyu sürebilirdi, ondan bir umut görsem, hemen kucağıma alıp saçlarını okşayacaktım bankanın ortasında.

Esas sıkıntım heyecan değil de, korkuydu. Ve beynimi tavaf eden sorular. Bu kadar güzel bir kadın yalnız olabilir miydi, belki de yanımda olduğunun farkında bile değildi. O kadar yaralıydı ki kalbim, beni evine götürüp parçalayacak bir seri katil, bir şeytanın kadın kılıklısı bile olabilirdi.

Ya kaslı iki metre boyunda zengin ve yakışıklı bir kocası varsa ya gelir de aşkımızın alevlerinin içine dalarsa ve benim kafamı gözümü yararsa. Aşk enayiler için bir kumar işte, zarların kaç geleceğini bile bile sallarsınız.

Aklımdan neler geçiyordu neler, kıvrım kıvrım, kıvırcık lüle lüle olmuş düşünceler. Birbirine giriyordu heyecan, umut, korku, kurtuluş, aşk, acı, sancı...

Onunla tanışmanın zekice bir yolunu bulmalıydım. İlk görüşmede makyaj önemlidir erkekler için, kadınlar için ise espri, zeka ve para.

Bir şeyini düşürse de uzanıp ona verseydim. Belki beyaz ellerine tekrar dokunur, gözlerini okur, bir umut bir ipucu yakalardım.

Ya da 'Merhaba, tanışabilir miyiz?' Bu en salakçası.

Mutlaka 'Ne münasebet, tabii ki hayır!' diyecek.

Ya da yanımdan kalkıp gidecek belki tersleyecekti. Ama olsun be terslesin! Sanki bizi kim görecek, görse ne olur. Bugün yaşadığımız bir sıkıntının ya da utancın, 2-3 yıl sonra bir izi, eseri kalıyor mu sanki?

Güzel bir kadına yaklaşmanın riskleri var elbette, rezil olmak, HIV virüsü kapmak, dayak yemek ve para kaybetmek gibi. Ama ödül çok büyük olabilirdi; müthiş bir hatıra, playboy, çapkın arkadaşları kıskandıracak bir macera, eskiden sevgilimiz şimdi bacılarımız olan kadınların önünden kol kola geçip onları çatlatmak... Hepsinden ötesi bir ömür mutluluk neden olmasın?

Bizler dünyanın güneşe en yakın olduğu dönemde kışı yaşarız hatta yılın en soğuk günleri güneşin en yakın olduğu zamanda yaşanır. İşte evren gibi ben de mutluluğa en yakın yerdeyim ama donmuşum, buz gibiyim. Aslında evrende neler oluyorsa bizde öyleyiz. Sonsuz uzay ile benim tırnak ucum arasında bir fark yok. Her şey aynı bir merkez ve etrafında dönenler.

Biraz sonra o da bana kaçamak bakışlar atmaya başladı. Artık onun da gönlünün olduğu kesindi. Ona açılmak için kesin kararımı vermiştim, bir bahane bulmaya çalışıyordum.

Of, kendimden sıkıldım artık! Şimdi ya da asla, artık harekete geçmeliyim. Yoksa benim köklerim uzanırken bankanın temeline doğru, dallarım bomboş kalacak. Müstakbel sevgilim biraz daha beklersem, kıllı bir sarmaşık bulup koynuna alıverecek.

"Ah! Söylesem bir türlü söylemesem bir türlü, tam dilim kıpırdayacak gibi oluyor sonra hemen kaskatı kesiliyor. Hadi dostum açıl ona ertelemek şeytan işidir, düşündüğün anda yapacaksın. Yapmadığın şeylerden pişman olmaktan daha acı ne vardır, hadi artık konuş onunla! Belki de hayatının kadınını kaçırıyorsun, bu fırsatı kaçırırsan eşekliğine doyma! Sonra yalnız başına dövünürsün ama ya terslerse, çantası kafama, dili kalbime yara yaparsa. Offff, yine konuşamadım, benim kahrolası çekingenliğim, yine dilimin bağını çözemedim, ilik gibi kız yanımdan kayıp gidiyor" diye düşünüyorum kan ter içinde titreyerek.

Ayak ayak üstüne atmış ve bir ayağını sürekli sallıyordu. Elindeki telefon sürekli titreşip alevli ışıklar saçıyor, o da telefonunu dönmedolap gibi çevirip sürekli camını siliyordu. Belli ki o da sıkılmıştı, ya gişe sırasını beklemekten ya da benim gibi şapşalın açılmasını beklemekten.

Böyle durumlarda hep kadın olmak istemişimdir. Güzellik ne büyük bir güç, nasıl bir büyülü değnektir. Her kapıyı açar, her erkeği aptal, deli divane yapıp böyle salak, berduş hallere düşürür. En karizmatik en güçlü erkeği kul, köle, hizmetçi bağımlı yapar. Kadınlar bunun dibine kadar farkındadır ve sonuna kadar kullanırlar.

Bir kirpik kıvrımına, bir keman kaşa, ince belle kaç imparatorluk, kaç sulta, kaç baş, kaç gariban gitmiştir kim bilir? Dağları delenler, çölleri aşanlar efsane olmuştur aşk uğruna, güzellik uğruna.

Moda ve çağımızın gelenekleri güzelliği kendi yontuğu kalıplara oturtuyor; uzun bacaklar, dolgun dudaklar, dik silikonlu göğüsler gibi. Ama aslında güzelliğin standarttı olmaz, görecelidir kalbinizi çalacak kadının görünüşü. Başkasına ucube gibi gelen kadın sana ballı börek, Bo Derek gibi gelebilir.

Esasında çirkin kadın da yoktur, bakımsız, alımsız, çalımsız ve akılsız kadın vardır.

Bunları düşünüp kadınıma daha bir hayran olmuşken, artık yeter deyip cebimden silahımı çıkarttım. Yani yanımdan hiç ayırmadığım çantamdan, resim defterimi ve kalemlerimi çekip onu profilden çizmeye başladım. Defteri sağa sola çekiştirip ona göstermeye çalışıyordum. Biraz sonra resmini çizdiğimi fark etti.

Binlerce yüz çizmiş olmama rağmen ellerim titriyor, kıçım başım her yerim terliyordu. İçimden ' Ulan konuşmayı beceremedin geri zekalı bari şu resmi doğru çiz!' diye geçiriyordum.

Evet, benim diğer bir aşkımda sanattı, resimdi, karikatürdü. Başka bir şey sanat, bu kıza çarpıldığım gibi bir aşk. Ama o kadınlar gibi değildir en iyi dostumdur. Onunla konuşabilirim, koklaşırım, sevişirim; karşılıksız veren bir sevgilidir sanat. Aslında işte böyle bir sevgilim zaten vardı. Fakat hormonlarımla beslediğim şeytan, bir tane de kara gözlüsünden olsun diyordu.

Benim vefalı, bereketli, menfaatsiz seven sevgili arkadaşım sanatla olan ilişkim; arıyla bal, ağaçla dal, karıyla koca gibidir. İkisi de çalışır ve ikisi de verir; hesap hep ortak ödenir. Haftalarca günde üç saat uyuduğumu bilirim, bir öğün yemek yemeyip parayı fırçaya, kaleme, kitaba yatırdığımı bilirim.

Hiç şikâyet etmedim, zaten sevdiğiniz işi yapıyorsanız hiç çalışmamışsınız demektir. Elbette dikeniyle seveceksin telleri, ancak böyle girilir altından ırmak akan gül bahçelerine. Sanat denen delilik acılarının yanında, kalıcı olmanın ferahlığını hediye etti bana.

Öyle bir tutku ve göğsünüzü yara yara verilen bir savaştır ki sanat; yüzlerce kez çizmiş olsanız da kalemi tuttuğunuzda eliniz titrer. Ya oranlar tutmazsa, ya kaş göz birbirine karışırsa, ya daha yaşlı ya da daha çocuksu olursa mankeniniz, ya deniz mor olursa ya da gökyüzü yeşil. Bu endişelerle başlar çizginin dansı...

Aslında bu heyecandır çizgiyi hayat yapan, bu heyecandır sevdayı yaratan, bu heyecandır tablodan çıkacakmış gibi duran yüzleri yapan, bu heyecandır güldüren, ağlatan, düşündüren, üşüten ve ısıtan kareleri yaratan.

İlk leke ile heyecan dağılır ama kaybolmaz, bütün vücudunu sarar. İlk çizgiler acemi ve korkaktır ama pes etmezsen ilahi dengeyi bulu verirsin. Sonra, eğer sevdan varsa çizgiye, sabrın varsa yeniden başlayacak bitişlere, akar gidersin tuval üzerinde.

Gözün eğrisinde, kirpiğin kavisinde, gözbebeğinin küresinde, ağacın gövdesinde, yaprağın yeşilinde ne heyecan kalır, ne de endişe. Dudağın kirazında, kaşın kemanında unutursun işi gücü, sazı cazı, parayı pulu, köleyi kulu...

Hatları çıkartıp gölgeyi vurdun mu portreye, kırdın mı belini kurumuş ağaç dalının sanki hafifleyip başka boyutlara gidersin, ne eliniz, ne kalbiniz, ne de nefesiniz yoktur artık...

Öyle anlamsız öyle gamsız hissedersiniz ki hayatı, bütün karmaşa, kaos, duvardaki çatlak, klozetin sifonu, tam doksandaki örümcek ağı, televizyondaki meşin top anlamını yitiriverir.

Bu, sanki geçici bir narkoz halidir, görmez, duymaz olursun. En sonunda yorgunluğun seni dürtüp uyandırır. Müthiş bir bel ağrısıyla doğrulursunuz. Saat gecenin dördüdür, gözleriniz kapanmak üzeredir.

Fırça düşer elinden, yatak boyanır, pijama boyanır. Yorganını dahi çekmeden uzanırsın yatağına, son bir kuvvet ile göz kapaklarını kaldırıp tuvale bakarsın. Sana gülüyordur saçına gül takmış esmer kız, sen de bir tebessüm takıp yanağına dalarsın uykuya ve üç saat sonra aynı tebessümle servisin kornası uyandırır seni.

Fırçayı, boyayı, tebessümü atar bir köşeye düşersin yola, tekrar buluşana dek gülemeyecek bir suratla...

İşte tuvale yansıyan o esmer kız gibi bir kızdı bankamatik güzeli. Dikkatli bakınca, gerçekten odamda geçen gün çizdiğim, saçına çiçek takmış kıza ne kadar da benziyordu.

Benzemeyi bırakın sanki karşıma oturmuştu da onu çizmiştim hayal tuvaline. İkiz kardeşi olsa bu kadar benzemez.

Gerçi çizdiğim kız yanımdakinin güneşte biraz fazla kalmış haliydi ama bakışlar gözler ayna gibi aynıydı.

Ya o yanağındaki ben, tam da portrede boyadığım yerde. Allah Allah! Bu nasıl olur. Bir tesadüf mü bu, yoksa Rabbimin şaşmaz bir planı mı? Hayırlı bir şer mi bu, yoksa şerli bir hayır mı? Geleceği bilemeyiz, öyleyse şu anı yaşamalı ve şimdinin ferahlığıyla göğsümüz genişlemeli ki gelecek güzel olsun.

Peşindeydim kara gözlünün o ürkek bir ceylan, ben avına odaklanmış mavi yeleli bir aslan. Ava giden avlanır mı, yoksa kurban bir lokmada sindirilir mi bilinmez ama dişimle, tırnağımla, pençelerimle şu ana odaklanmıştım, geçmiş ve gelecek yoktu artık.

Hafif utangaç bir tebessüm ile "O benim resmim mi, ben o kadar güzel miyim?" diye sordu.

Ben de, "Daha güzelsiniz, belki heyecandan tam olarak yansıtamamış olabilirim" dedim.

"Ressam mısınız?" diye sordu.

Kem küm ettim, kafam karıştı, biraz utangaçlık biraz korku... Ona hem sevgilimi, hem de mesleğimi nasıl söylerdim? Meslek az paralı, sevgili ise sevgili işte, ateşli ve onun üstüne başka bir sevgili.

Çekinerek "Sanırım" dedim. "İşte, periler geldi mi, yazar çizerim" diye ekledim. Davetkâr bakışlar ve sanata olan ilgiyi görünce iyice cesaretlenmiştim artık.

Bu kadar kolay olacağını hiç düşünmemiştim, güzel kızlar süründürür, acı çektirir, oynar, kuyruk sallayıp başınızı döndürdükten sonra el sallayıp kaçarlardı aslında. Aslı astarı buydu işte, kendisi güzel, dilleri güzel dilberim yanı başımda duruyordu. Kendi dünyam o kadar hayal ve kurguyla sarıp sarmalanmıştı ki, gerçeğin ta kendisi şaşkınlık yaratıyordu.

İçimden 'Kendine gel yahu, bırak şimdi, düşü, hayali, yazmayı çizmeyi de harekete geç. Kadınlar düşünen adamı sevmez, konuşan ve paralı adamı sever' diyordum.

Biraz daha hayal, düş, gerçek arasında dolanmaya devam edersem bu kız yerine ranzamın demirlerine sarılmak zorunda kalacaktım. Artık onu kolundan tutup buralardan götürme zamanıydı.

"Aslında çok güzel bir yüzünüz var, sizi önden daha detaylı çizmek isterdim, şu karşıda bir çay içebilir miyiz?" dedim.

"Tabii, neden olmasın?" dedi.

Bankadaki işlemlerimizi bitirdik ve hemen karşısındaki kafeye doğru yürümeye başladık. Tabii ben yere basmadan yürüyordum, bulutların da üstünde... Ama ona mutluluğumu belli etmiyor, en karizmatik ve en ciddi pozlarımı takınıyordum.

Ağaçların sarmaşdolaş olup bizi gölgelediği toprak yolda yürüyorduk, hava açık, bahçe yemyeşil ve rengarenk çiçeklerin yaydığı mis gibi bir koku vardı. Bizim de sarmaşdolaş olmamıza az kalmıştı.

Ben gülüyordum o hiç konuşmuyordu, yürüyorduk, insanlar bize bakıyordu.

Eee tabii böyle güzel bir kızı koluna takmış civanmert bir delikanlıya bakmayacaklar da kime bakacaklar? Sonra dikkat edince fark ettim de insanlar bana bakmıyordu, yanımdakine bakıyorlardı, daha adını bile bilmediğim güzelliğe bakıyorlardı.

Biraz bozulmuştum ama erkeğin güzeli olmaz ki, güzellik onlara mahsus yani kadınlara. Biraz yakışıklı, boylu poslu, karizmatik olmanın da bir zararı yok elbette, kadınları değil belki ama iş yerindeki patronlarınızı, amirlerinizi veya sizinle çalışanları etkileyebilirsiniz.

Bazıları sanki tanıyormuş gibi bakıyorlar ve bakışlar bir değişik sinsi bir tebessüm, çatılmış kaşlarla bir gülücük, bir şey söyleyecekmiş gibi bir dudak bükme ve uzayan dudaklar vardı suratlarında. Sanırım mahallenin en güzel kızını kapınca civar insanlarının sinirlerini bozdum, tuhaf tuhaf hareketler yapıyorlar. Anlam veremedim ve ona adını sordum.

İsmini, geçmişini ve geleceğini bilmediğim kadına adını sordum.

"Habibe" dedi önüne bakarak.

"Ben de Utku, çekingen birisin galiba adını bile yüzüme bakmadan söylüyorsun, peki bana saatlerce nasıl poz vereceksin portreni çizerken?" dedim gülümseyerek.

O yine sustu…

Birkaç dakika sonra kafedeydik. O hep önüne bakıyor, ben de sürekli onu izliyordum. Ahşap sandalyelere oturup ceviz masaya yaslandık, o an asma sarmaşıklarının arasından güneş damlıyordu.

Hava açmış, gökyüzü lekesiz, kusursuz pril pırıldı ve hafiften ısınmaya başlamıştı. Hafif ılık bir meltem onun saçlarını kıpırdatıyor ve benim yüzüme dokunup ferahlatıyordu.

Kalın pardösümü çıkartıp keyifle arkama yaslandım, ortamın dinginliğine rağmen benim içim kıpır kıpır, kalbim pır pır atıyordu. Ve her yerden ilham fışkırıyordu, salaş çay bahçesinin rüküş masasında.

Hemen kalemi kâğıdı çıkartıp onu kara kalem çizmeye başladım. Sürekli bana bakması için uyarıyordum. Birkaç saniye bakıyor, sonra yine başka alemlere dalıp gidiyordu.

Bakışları sertleşmiş, için için bir şeylere kızıyor, sinirleniyordu. Patlamak üzere olan bir bomba ya da içinden yaratık çıkacak bir zombiye benzemeye başlamıştı sanki.

Birazdan gözleri kayıp bembeyaz olacak, kanlı köpek dişleri uzayacak, karnı oynamaya başlayacak, sonra yarılıp içinden çığlık çığlığa küçük iğrenç canavarlar çıkacak sanırsınız.

İçimden yine ne oldu buna neye kızdı yahu böyle diye geçirmeye başlamıştım. Yaşayan ölü gibi bakıyordu ama yine de çok güzeldi ve çok masumdu. Sessiz sessiz başı önde duruyor, sürekli ellerini kenetleyip ovuşturuyordu. Böyle olunca kalemi kâğıdı bırakıp resme ara verdim.

Değişik biri gizemli, karmaşık, biraz dengesizdi. Beni normali bulmaz ki zaten. Ama çok güzel diye düşünürken çaylarımız geldi. Aşk bu işte, ilk bakıştaki o an gibi olmuyor ki her zaman. O heyecan, arzu ve cazibe zamanla, içli dışlı oldukça azalıyor ve sevgi artıyor. Yıllardır evli olanların hissettiği şeylerdi bunlar, biz ise daha yaklaşık bir saattir beraberdik.

Ben iyice saçmalamaya başlamış, zıvanadan çıkmıştım. Galiba onu yanlış anlamıştım, benim gibi bir anda âşık olduğunu düşünmüştüm. Kendi uydurduğum yalana inanmıştım ve saçma düşüncelerle avunmaya çalışıyordum. Ama olsun yalan da olsa beni sevseydi ya!

Bir tuhaflık başlamıştı, hayat denen; nerden geldiğimizi, ne yaptığımızı, nereye gittiğimizi bilmediğimiz acayipliğin içinde. Hiçten var olmak gibi bir garipliğin başrolünde oynarken; çözülmez değişkenlerden oluşan, bir sarmaşık gibi karmaşık olan kadınları mı tuhaf buluyordum?

Yoktan var olacakmışız, büyüyüp adam olacakmışız, yürüyüp, üşüyüp düşünecekmişiz ve şapşalca aşık olacakmışız. Esas şaşılacak şey bunlar doğrusu.

Ama insanın nutku tutuluyor, hormonlar azıp coşunca ve afet gibi bir kadın karşınızda durunca unutuyorsun bir an evreni, diğer âlemi, gelmişi geçmişi. Ve insana öyle boş geliyor ki dünya. Sonsuz bir boşluğun içindeki minik bir noktada yaşıyoruz, yani olsa da olur, olmasa da.

Çaylardan ilk yudumları alırken, ben telli duvaklı hayallere dalmıştım bile.

Üzerimde parlak simsiyah bir takım elbise, boynumda mor bir papyon, elimde rengarenk çiçeklerden bir buket vardı. Hayalimde ona doğru koşuyordum. Aslında kayıyordum, ayaklarımda buz pateni gibi kösele ayakkabılarla, ıslak çimenin üzerinde yokuş yukarı kayıyordum.

Her taraf aynı boy kesilmiş çimenlerle kaplanmıştı ve üzerine serpiştirilmiş binbir renk çiçekle, Anadolu desenli yeşil dev bir halının üzerindeydim.

Hızla kayıp giderken daha dik bir yokuş başladı zorlu bir yokuş ve yavaşlamaya başladım. Bir kötülüğü affetmek, hayra ve barışa yönelik bir iş yapmak, bir garibi doyurmak, nefsi yenmek gibi bir yokuş...

Sonra onu gördüm, küçük yemyeşil bir tepenin üzerinde, bembeyaz bir gelinlikle kuğu gibi duruyor, bana el sallıyordu.

Rüya mıydı, kâbus muydu, hayal miydi diye düşünüp bu âlemden çıksam mı, kalsam mı kafasındaydım. Hem korkuyor, hem de filmin sonunu merak ediyorum.

Aslında beyin için düş, hayal, meyal, sanal yoktu. Her şey gerçektir rüyanızda, bilinçaltında aslanın tırnağını kıçınızda hissedersiniz, uçurumdan düşersiniz de düşersiniz sivri kayaların üzerine, en olmayacak kişiyle en olmayacak hali yaşarsınız, güneşi elinizde tutarsınız, kutuplara gitmeniz saniyeler alır.

Ve kan ter içinde uyanırsınız, kalbinizi ağzınızda çiğnersiniz o an, her şey gerçek gibidir. Eğer düşlerinizi yönetebilirseniz en korkunç felaketleri de, en güzel mutlulukları da gerçek gibi yaşayabilirsiniz.

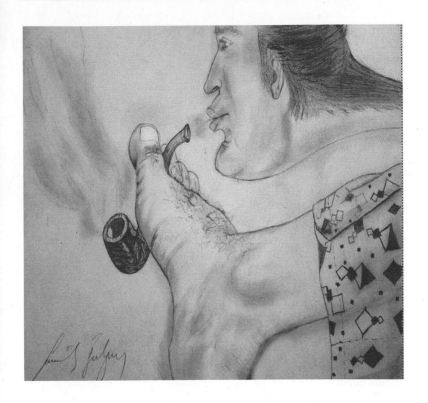

Benimki işte böyle bir hayal haliydi durgun, yorgun, solgun ve gizemli sevgilimin karşısında. Yüzü ak pak bembeyazdı ama kara kutusu içinde saklıydı. Akışına bıraktım hayatımı ve hayalimi yönetmen zaten seneryoyu biliyordu.

Hayaller gerçek, gerçekler hayal olabilir miydi? Zaten büyüdükçe gerçek sandığımız şeylerin yalan, yalan sandığımız şeylerin de gerçek olduğunu görmedik mi?

Yeşil tepeyi çıkarken elinde salladığı bir şey gördüm, ilk başta beyaz bir mendil gibiydi ama yakınlaştığımda elindekinin bir tomar para olduğunu anladım. Yanına geldiğimde o kadar saf, güzeldi ki ve öyle sevimli. Pamuklu bezlerle sarıp sarmalanmış, minik koca gözlü bembeyaz bir fok yavrusu gibiydi.

Ona sımsıkı sarıldım, hayalimdeki gelini eritircesine, aç bir bukalemunun yapışkan diline sarılmış bir böcek gibi sıkıyordum. Tank gelse bizi ayıramazdı.

Mutluluktan gözlerim kısılmış çizgi gibi olmuştu, bal kabağı gibi tebessüm ederken paralar aklıma takıldı, elindeki bir deste para da neyin nesiydi?

Bunu düşünürken gerilmiş bir yay gibi beni geri ittirdi o kadar kuvvetliydi ki ben de ok gibi fırlayıverdim. Sonra bir anda çirkinleşerek değişmeye başladı. Burnu uzayıp tombullaştı ve iğrenç sivilcelerle doldu.

Sanki suratının ortasında bir kambur balina taşıyordu. Gözleri bir çizgi gibi çekili verdi. Omuzları düştü, suratı kat kat kırıştı çok çok yaşlı bir kadına dönüşmüştü. Dilini çıkardı, dil değil de hortum gibi bir şeydi, artık korkmaya başlamıştım.

Kıpkırmızı tırtıklı otuz santim boyundaki diliyle bir yarasanın kan emişi gibi kısa ve hızlı darbelerle, buruşuk elindeki paraları yalıyordu. Sonra paraları seri bir hareketle alnına yapıştırdı.

Ve sonra ucube bir dansöz gibi kıvırtmaya başladı, çirkinliğine rağmen oldukça güzel çalkalıyordu. Ama bu yılbaşı gecesi eğlencesi değildi, tek isteğim oradan yok olup gitmek...

"Bu da nerden çıktı, yalan mıydı, tuhaf mıydı, rüya mıydı, kâbus muydu?" derken, onun sisli sesiyle irkilip uyandım, bu kabus gibi hayalimden.

"Yüz lira" dedi.

"Ne yüzü?" dedim.

"Saati yüz lira, karşıda bir otel var; sabaha kadar istersen üç yüz lira!" dedi.

Suratım dalgalanmaya başlamıştı. Mimikler, tikler, bakışlar birbirine girmiş, sanki suratımın ortasında spiral bir matkap dönüyordu. Bir gözüm seğiriyor, bir yanağım sarkıyor, bir kaşım kalkıp iniyordu.

Suratım hayret, şaşkınlık ve acayiplikten bir bulamaca ve bu iş kocaman bir bulmacaya dönmüştü. Varla yok arasında, kendim olarak hayatta kalmaya çalışıyordum.

İçimden seslendim:

"Ya Rabbi, sen her zorluktan, beli çatırdatan ağır bir yükten sonra kolaylık, mutluluk vaat edensin. Üzerimden bu şaşkınlığı kaldır, göğsümü ferahlat, işimi kolaylaştır, muhakkak ki şükredenlerden olacağım!"

İşte o an kabusumda gördüğüm şey karşımda duruyordu. Kabuslar gerçeğe gerçek kabusa dönüştü. Keşke şöyle gözlerimi açıp 'Oh be kabusmuş!' diyebilseydim.

Yok artık tırnakları uzayıp jilete dönüşsün bari. O da yetmez, tırtıklı dikenler çıksaydı, kolundan bacağından o zaman tam olurdu. Ne olurdu bu cennet bahçelerinde geçen bir rüya olsaydı.

Yer yarılmıştı, tandır kaynıyordu, her şey durmuş, dağlar parçalanmış yürüyordu, dünya dümdüz olmuştu, gökyüzü erimiş bir maden gibi... Çakıl savuran bir kasırga başlamış, derinden gelen korkunç bir çığlıkla helak olmuştum.

Başıma ağrılar karnıma sancılar girmişti. O masum yüzlü, çekingen, kara gözlü, melek gibi kız mı söylüyordu bunları? Ben nasıl bir şaşkınlığın, ahmaklığın, tuhaflığın içine düşmüştüm.

Kendi kıyametim kopmuştu, sanki paranın, pulun, kulun, doğru yolun, başlangıcın ve sonun hiçbir önemi kalmamıştı.

Ama şeytan tatlıydı, güzeldi, masumdu, baştan çıkarıcı, gizemli, heyecan verici ve kalbimin zarını deliciydi. Yani bu kadın hala güzeldi. O kadar sade bir güzelliği ve iddiasız solgun, donuk bir bakışı vardı ki 'Şaka yaptım' dese inanırdım.

Ama o son derece ciddiydi. Bakışları 'Ben sana temiz aile kızıyım demedim ki' diyordu.

Gözlerimi kısmış ona bakıyor ve içimden, olanı anlamak için anlamsız sorular soruyordum.

En sonunda ben de ona sordum: "Peki, bir ömür kaç para?"

Hayatı çözmüş öbür alemlere geçmiş bir filozof gibi, yani tam bir hayat kadını gibi gülümsedi. Dilinin altındaki bakla artık çıkmıştı, sakızını şapırdatarak: "Bir ömür çok para tutar aptal âşık! Ama daha gencim on yıl daha iyi iş tutarım, yani on yıl daha düşünürsen toplu indirim yaparım sana o da yakışıklılığın hatırına" dedi, kalkmaya hazırlanır gibi masaya yaslanarak.

Kolundan tutup kredi kartımı suratına doğru uzattım, bir anda parmaklarımı teğet geçen dişleriyle kartı ısırdı. O ısırıyordu ben de çekmeye çalışıyordum. Kart neredeyse esneyip lastik gibi olmuştu. Dişlerimi gösterip, onu kendime doğru çekerek; "Peki, şu kartı versem son cariyem olur musun?" dedim.

Kafası önde, aşağıdan yukarıya doğru bakıp sinsi bir tebessümle; "O zaman şifresini söyle!" dedi

Üşüttüğüm arızalı kafamla biraz düşündüm, biraz da üşüdüm. Tiklerim 'Tik tak, tik tak' diye atmaya başlamıştı. Suratımın bir tarafı gülüyor bir tarafı sarkıyorken ve deniz feneri gibi göz kırpıyorken kadere, kekeleyerek; "Şifresi bu günün tarihi olsun 11.11.2011" dedim.

Sonra birbirimize sarılıp ayrıldık, kırık düşler çay bahçesinden.

ARABALI SOKAK ÇOCUĞU (FATİMA)

İşte ben; yazar çizer gezer gecelerin sarhoşu gündüzlerin baykuşu, arabalı sokak çocuğu. Bir oda bir salon metalik gri, beş ileri bir geri, içi çöplük dışı tozluk bir evim var. Çalışırken yani kaldırım mühendisliğinin sanatsal hali olan Düş Mühendisliği yaparken burada yaşıyorum.

Gece ve gündüz bazen öğle vaktinde, ikindide, yatsı vaktinde tekerlekli evimde yaşıyorum. Direksiyonundan tuttuğum gibi yollara fırlattığım, sert bakışlı, trigel kayışlı, kucağı yumuşak dışı sert, camları kırılgan, kaportası sırçadan… O benim çelik dostumdur.

Sanatsal faaliyetlerimde geceleri bana eşlik eder. Kazandığımızı penceresiz otel odalarına bayılacağımıza, arabamıza sarılırız dedik ve yıllarca beraber sabahladık. Bazen sabahlar hiç olmadı, bazen güneş bir türlü batmadı. Ama hoş ve buruk bir anıdır arabalı bir sokak çocuğu olmak.

Günlerden bir gün, zorla sabah edip, ekşi yemiş gibi suratım buruşmuşken arabanın salonundaki koltuklara eritircesine sürterken kıçımı ve bir şeyler kemirirken direksiyonun tepesindeki Amerikan mutfakta.

Bir yılan gibi dolanmışken vites koluna, firen pedalı kepekli ekmek, gaz pedalı tam buğdaylı ve ayaklarımı kaşar peyniri gibi eritmişken ikisinin arasında, yani arabadan daha araba olmuş, paslanırken sokak köşelerinde...

Bir gün geldi, öyle bir gün ki Allah'ın kuru topraklara can veren rahmeti sanki arabamı delip geçecek, kevgire çevirecek gibi yağıyordu. Nasıl bir yağmur ve her yerden gelen dolu tanelerinin yumruk darbeleri... Hem Rabbimin rahmeti hem de afeti başlamıştı. İstanbul kazan ben kepçe olmuş dönüyordum nezih mahallelerin çıkmaz sokaklarında.

"Ya Rahman yolsuzları, ahlaksızları, müşrikleri, münafıkları, ikiyüzlüleri yok etme hükmünü verdiysen bugün, sen muttakileri, samimi iman sahiplerini koru, dilimizin bağını çöz her zaman hakikati söylemeyi nasip et, bize acı! Sen bizim Mevla'mızsın, gerçeği öreten nankörler topluluğuna karşı yardım et bize" diye dua ediyordum.

Yıldırım şimşek art arda korkunç bir çarpılışla kükrüyor. Öyle bir tandır kaynıyor ki gökyüzünde, çelik dostum sanki delik deşik olacak! Hem korkuyorum, hem de dua ediyorum ıslah olmak için.

Dolu öyle bir şiddetlenmişti ki gümbür gümbür her yeri dövüyordu. Ve bir metre önümü bile göremiyordum. Sonra yumruk büyüklüğünde balyoz gibi tepemize tepemize vurmaya başladı.

Arabamın her tarafından tangır tungur, gacır gucur sesler gelmeye başladı. Yağmur ince ince başladığında, yıllardır yıkanmayan pasaklı arabamın dışına biraz su değecek diye sevinmiştim.

Fakat sıcak bir yaz yağmurunda gusül abdesti almak yerine bir şampiyonun karşısına çıkmış tüysıklet bir boksör gibi dayak yiyorduk. Arabam kadar benim de ağzım burnum yamulmuş, kaşım gözüm patlamıştı, sanki öyle göğsümde hissediyordum her darbeyi.

O anın heyecanı ve korkusuyla hemen arabayı çalıştırıp gazladım, görebildiğim kadarıyla dolu sağanağından kaçmaya çalışıyordum. Oysa ben ve arabam doğanın gücü karşısında sadece kuru bir asma yaprağıydık. Yani bir üflemesiyle dökülüp giderdik, yani ondan kaçmamız mümkün değildi. Böyle olunca karşıma ilk çıkan bahçeli bir evin, kapı saçağının altına atı verdim kendimi.

Biz gölgeye geçer geçmez dolu taneleri portakal büyüklüğünde inmeye başladı yeryüzü denen cazibe merkezine doğru. Biraz daha bekleseydim dünyanın merkezine doğru çakacaktı bizi Rabbimin buzdan çivileri. Çok şükür ki birkaç kaporta çiziği, hafif tampon eziği ve biraz akıl kaybıyla bu korkunç afetten kurtulmuştuk.

İşte böyle bir günde; bir kız mı kadın mı, in mi, insan mı bilinmez dümdüz kara saçlı bir beden, çevik bir hareketle yan koltuğuma oturuverdi. Daha doğrusu kuş tüyü gibi süzülüp, dokunuverdi yan tarafıma.

Saçlarından dökülen şelalenin, arabamın içine doğru akıp gitmesi gibi aktı bir şeyler. Ama geçip giden zamandan bir gevezelik değildi, bir yerim acıdı, yandı. Meçhulden gelen biri, arabamın gizemli derinliklerine doğru akıp gidiyordu.

"Ulan! Sende kimsin? Biraz önceki sağanak dolu yağmurunda bile arabama bir damla su girmedi, sen geldin her yer sırılsıklam oldu. Hey! Ne arıyorsun burada, Tanrı misafiri misin yoksa bela mısın, nesin sen?" dedim ilk heyecan, korku ve merakla.

Oysa ben her zaman, gece gündüz, trafikte, evde bile olsam kapılarımı mutlaka kitlerdim. Uzun gecenin, gevrek simitle açılan sabahında unutuvermiştim evin kapılarını kilitlemeyi, meğer bu gizemli Tanrı misafiri içinmiş.

Kafası öne eğikti saçları dümdüz upuzun yüzü gözükmüyordu. Ellerini ovalayıp duruyordu, saçları garanti etmezdi ama elleri kadın eliydi. İnce uzun ellerini kenetlemiş durmadan başparmaklarını ovuşturuyordu...

Boynu bükük karalahana saçlı kızı profilden izliyordum. İnce ince, derinden ağlamaklı hıçkırık sesleri geliyordu. Gizemli, korkutucu, heyecan verici ve güzel bir Tanrı misafiri bizim fakirhanenin konuğuydu. İlk başta korkmuştum ama bir kız ve utangaç tavırlı olunca biraz ferahlamıştım. Onun benden daha çok tedirgin olduğu ve utandığı her halinden belliydi.

Korku ve heyecanın yerini merak ve merhamet almıştı. Fakat bir yanımda cebimdeki cüzdanımı yokluyor, bir gözüm ayak arasındaki yeni bilgisayarımı kesiyor, diğer gözüm de torpidonun üzerinde uslu uslu duran akıllı telefonumu takip ediyordu.

Paranoyak derecede tedbirli biriyim, İstanbul'da sokakta yaşayan biri için bu hastalık değil nefes almak gibidir. Kimseye, kendime bile güvenmem. Burada herkes yabancı, düşman ve haindir. Tabii yıllarca yalnızlıktan sonra gelen güzel ve masum bir kız benim gibi birini bile yumuşatabilir.

Bir kadın olması beni heyecanlandırmıştı, uzun zamandır sevgilisi olmayan bir sokak çapkınıydım. Beraber olmayı bırakın, gerçek bir kızla yan yana bile oturmamıştık.

Tabii internettin açık saçık sitelerinde yaşadığım evlilikler, sanal ve yalan haremimi saymazsak. Kadınlar sanal görüntümü seviyordu ama gerçeğime dayanamazlar. Benim gibi tuhaf, sevimli ve arabalı bir sokak çocuğunu ne yapsınlar!

Şu kadınlardan o kadar çok kazık yemiştim ki, bakalım bu sokak dilberi neremden kopararak, neremden sokup kanımı içecek diye düşünüyordum?

O kadar hızlı ve yumuşakça oturmuştu ki torpido bar kısmına, neredeyse yol arkadaşıma hoş geldin diyecektim. Aslında yan kapımın mandalı çıt ettiğinde, polis mi, kaptıkaçtı mı, gaspçı mı diye şöyle bir yutkunup cidden kalbim ağzıma gelmişti.

Oysa kapımı çalan kalbimi de çalacakmış. Başı önde hiç konuşmuyordu saniyeler içinde korkum geçti ve omzuna dokundum.

"Kardeş hayırdır, yolda mı kaldın, berduş musun? Başına bir iş mi geldi, kaçak mısın, kaçakçı mısın, sende bir sokak insanı mısın, ne işin var yıllardır kadın poposu görmemiş yan koltuğumda?" dedim muzur bir gülüşle.

"Ben Arabalı Sokak Çocuğu'yum. Hem yazarım, hem çizerim, hem de gezerim, hem zengin, hem berduşum, hem deli, hem de sarhoşum. Sen kimsin?"

Ve işte o an suratımın ortasına demir bir yumruk indi. Yüzüm ensem gibi dümdüz oldu, yıldırım gibi bir çarpılışla çarpıldım. Yarısı gözüken yüzünün güzelliği ile büyülenip, çölde bir serap mı bu, yoksa sabah karşı gördüğüm bir rüya mı diye gözlerimi ovuşturuyordum.

Güzelliği kadar kibirli değildi herhalde, utangaç masum bir tavırla ve bem beyaz boynunu ortaya çıkararak bana doğru döndü, gözlerime bakmadan.

"Allah rızası için bana yardım eder misin? Ben Suriyeliyim" dedi

İlk kez bana baktı ve kolumu tuttu, bir kırlangıcın ıhlamur dalına konup narin pençesiyle sarması gibi. Gözleri kapkara, yüzü bembeyaz ve parmaklarının ucuna kadar incecikti. Gözlerine bakınca kapkara bir güneş ısıttı sanki beni, öyle bir masumiyet, samimiyet ve mağduriyet hissettim.

Benim gibi, kendine bile güvenmeyen bir şüpheciyi 15 saniyede bağlamıştı. Suriyeliyim deyince o sokakta dilenen kara tenli perişan insanlar, çocuklar belirmişti gözümün önünde ve içim burkulmuştu.

Bizim de bulaştığımız, birilerinin iktidarı ve güç savaşları uğruna ezilen, büzülen, kanları akan insanlar onlar. Ve birbirinin kanını içen Müslümanların, cehalet ve sefaletin yabancı ülkelere sürüklediği insanlar...

Hep acı çekerim, ülkemin ilimden, fenden, ahlak, namus ve samimiyetten uzak yalan gündemine ve ilk emri oku olan bir dinin Ortadoğuda'ki cehalet ve sefalet kaplı resmine.

Elbette şehit olan polislerimize, askerlerimize, 15 yaşındaki yavrumuza, daha çok özgürlük peşindeki gençlerimize, sınır kapımıza dayanan savaş mağduru kardeşlerimize üzüldüm, büzüldüm ve süzüldüm içime doğru, süzüldüm kalmışsa vicdan denen hiçlik...

Ağıt yakıyoruz bitmiş ahlakımıza, namusa, dürüstlüğe ve kağıt yakıyoruz ayakkabı kutularında... Görülmemiş bir münafıklık, ikiyüzlülük, hırs, yok etme isteği, kardeş kanı içme yarışı sürüyor.

Harama hile karıştırılmış, din, iman, Allah rızası yeryüzünden kalkmış gökyüzüne taşınıyor. Ortadoğu'ya demokrasi, top tüfek, terör, zulüm dörtnala geliyor ama hakikat, gerçek din yanından bile geçmiyor.

Böyle mi olmalıydı binlerce yıllık tarihi olan bir milletlerin yirmi birinci yüzyıl hali. Hizmetmiş, ne hizmeti yahu zimmet yarışı, zimmeti arttırma yarışı.

Bölgemiz o kadar kirlendi, yozlaştı ki belki de bir çöküş, tufan, bir sarsılış, bir çarpılış lazım aklını işletmeyenlere, cahiller ve zalimlere... Medyen halkının, Lut kavminin, Nuh kavminin, Semud halkının başına geldiği gibi...

Çalan çırpana, yatan kalkana, yalan dolana karışmışken buhar kazanında ve tandır kaynarken gökyüzünde, ben en iyi bildiğimim işi yapıyorum, düşünüyorum. Düşünüyorum Orta Çağ'dan kalmış bir dinozor gibi, salaş, ayyaş bir berduş gibi ve milenyumun serserisi gibi düşünüyorum.

İşte bu yalan dünyanın bu yalan gündemine saplanıp kalmış bir şekilde düşünüyorum. Ve üşütüyorum iyi kalpli şizofren bir katil gibi. Çünkü asla affetmem yarısı palavra, yarısı yalan olanları, işte böyle efkarlanıyorum kadınları ve yalnızları düşünürken.

Fakat bu davetsiz Tanrı misafiri hiç de sokakta dilenen sefalet içindeki Suriyelilere benzemiyordu. Ten rengi açık, kıyafeti sade ama temiz duruşuysa oldukça kültürlü ve okumuş gibiydi.

O kadar güzeldi ki, böyle tanışmamıza üzüldüm yani şartlar adil değildi. Adil dediğimiz normal hayatta böyle manken gibi Türkan Şoray gibi bir kız, benim gibi bir milenyum serserisine asla yüz vermezdi.

Her kirpik yayı, her yumuşak oval vücut kıvrımı, keman kaşı, inci dişi, sedef teni, ince beli; 500 beygir bir motora, öküzgözü gibi bir tek taşa, timsah derisi bir şapkaya ve kodaman bir dinozorun yatına katına denktir.

Bir de şeytan tüyü denen sihirli değnek, aksakallı dede iksiri vardır. Geçimi, parayı; iddia bayilerinde, beygirlerde, ganyan bayilerinde arayan arka mahalle delikanlıları için tam bir piyangodur.

Yaratan hani bazılarına ruhundan biraz fazla üfler ya ve onlar güçlü, zengin, yetenekli, sanatçı olurlar. Tabii bu, sonuçları ölümden sonra açıklanacak bir imtihan içindir. İşte şeytan tüyü de böyle bir şeydir. En sıska, tipsiz, parasız, kaba saba, serseriyi bile Don Juan, Kazanova yapar şu iblisin kılı.

İşte şu şeytan kılı, tüyü denen şey hiçbir zaman bana sürtünmemiştir. Oldukça yakışıklı, tanınmış biri olsam da sevdiğim kızlar bunlarla hiç ilgilenmedi. Koskoca üniversite hayatında bile bir tane bile sevgilim olmadı. Birkaç gecelik enkaz aşkları saymazsak. Ama sevdiğim oldu hiç unutamadığım, hiç dokunamadığım, kalbimin zarını eriten platonik bir sevgilim olmuştu.

Tabii o zamanlar cebimde param ve cakalı bir arabam yoktu. Sevdiğim kızların tozu dumana katan, egzos kokuları ile yetinirdim. Bunca enkaz, moloz ve eski aşklar mezarlığında kürek salladıktan sonra böyle güzel bir kız bana yar olmaz. Gözlerimi kerpeten gibi kısıp sokağın sonunda azıcık gözüken boğazın mavi beyaz dalgalarına baktım.

Biraz düşlemece yaptıktan sonra, torpidodaki günün hasılatından çektiğim bir 20 TL'yi hibe kredi olarak ona uzattım.

"Al dedim kardeş, işini gör, bugünü kurtarırsın. Sonrasında Allah yardım etsin. İşte ben de gördüğün gibi arabada yaşayan bir sanatçı, bir düş mühendisi, bir sokak çocuğundan başka bir şey değilim. Ancak sana bu kadar yardımcı olabilirim" dedim. Yüzüm ve bedenim sarkmış buruk anılardan tartaklanmış, buruşmuştum.

Almalıydı parayı gitmeliydi, kalbimi çalmadan gitmeliydi yoksa delisi divanesi olacaktım, kalbimin zarı delik deşik olmuş eriyip gitmişti.

O an elimi tuttu ve geriye itti "Hayır, benim istediğim paran değil" dedi biraz kızgın biraz dalgın.

"Şu köşedeki villayı görüyor musun? Hani demir parmaklıkları var, beyaz, duvar gibi çalılarla çevrili olan, işte ben orada oturuyorum. Paraya ihtiyacım yok çok şükür. Balkonda otururken seni ve arabanı fark ettim. Arkada yatıyordun galiba birkaç kez kalktın, seni gördüm. Arabanın etrafında dolaştın, kültür fizik hareketleri yaptın, pet şişeyle ağzını çalkaladın, yüzünü yıkadın, arabadan bir şeyler indirdin, bir şeyler koydun. Esnedin, gerildin" dedi.

Sonra ağzını kapatıp tıslaya tıslaya gülerek konuşmaya devam etti.

"Bir ara da arabadan inip sağ kapıyı açıp etrafa bakarak işedin, çok komikti ben de gizlice sana baktım. Sonra yorgun, durgun, solgun arabanın etrafında turlayıp durdun. Seni izledim sakin, kendi halinde, akıllı, samimi birine benziyordun. Onun için cesaretimi toplayıp yanına geldim. Ağırbaşlılığının yanında sen Mars'tan dünyaya bakan bir kaşif, aşmış gitmiş, başka boyutlarda yaşayan bir gezgin gibiydin. Ve sadece içinde nefes alabildiğin uzay mekiğin yani arabanla, astronot kıyafeti giymiş bir uzaylısın sen" dedi ve biraz soluklanıp tebessüm edip yutkundu.

Duyduklarım karşısında kulaklarımdan ağırlıklar, gözlerimden perdeler kalkıyordu ve kalbim yanıyordu. Şaşkınlıktan dilim kemik gibi kaskatı oldu konuşamıyordum.

Bir ömür, bir sürü eserle kendimi ifade edememiş ve ruhumun derinliklerine inememişken, bir yabancı bir balkon bakışıyla bir kurban gibi derimi soyup, kemiklerimi ayırarak içimi dışarı çıkarmıştı. Sustum, aç, her şeye muhtaç bir halde, hayranlıkla onu dinliyordum

"Biz Suriye'nin en zengin müteahhit ailelerinden biriydik ama savaştan sonra ülkemizden ayrılmak zorunda kaldık ve buraya Bağdat Caddesi'ne yerleştik. Servetimizden kurtarabildiğimizi yanımıza alıp Türkiye'ye geldik, kurtarabildiklerimizle idare ediyoruz. İşte kimseye muhtaç değiliz, iyi bir yerde yaşıyoruz, yani paraya ihtiyacım yok çok şükür." dedi

Kız böyle konuşunda birden bir mutluluk geldi göğsümün içine, arabada onca geçen yalnız günden sonra birinin beni fark etmesi, ilgilenmesi, takip etmesi ve böyle güzel olması makus kaderimi değiştirecek miydi? En yakınlarımla, eşimle, dostumla anlaşamazken onun daha tanışmadan beni anlatması...

Bir de bu hatun, Bağdat Caddesi'nin cakası yerindeki hatunlarından biriydi, bir menfaat beklentisi de olamazdı ve bu beni daha da heyecanlandırdı.

"Bu kadar konuştuk daha isimlerimizi bile bilmiyoruz. Adın ne?" diye sordum.

"Adım Fatima" dedi.

Ben de ona dönüp en sevimli ve karizmatik hallerimi takınarak gülümsedim neyse ki yeni çektirdiğim dişlerimi bıyıklarım kapatıyordu. Ona uzun uzun baktım o da kaçamak bakışlar atıp gülümsüyordu. İşte şimdi voleyi vurdum, efsane bir aşk başlıyor derken ona sordum;

"Yahu Fatima madem durum böyle. Neden Allah'ın adıyla benden yardım istedin? Zenginlerin sosyetik bir fantezisi mi bu? Hani bir macera, adrenalin yaşayalım durumları? Yedik, içtik, seviştik, kustuk tekrar yedik, kavga ettik tekrar seviştik gibi mi? Hani herhaltı yedim de bir tek şey yapmak kaldı veya her kuşu öptüm de bir leylek kaldı derler bizim oralarda, öyle bir şey mi?"

Söylediklerimden hiçbir şey anlamamış gibi suratıma şapşal şapşal baktı. 'Ne dediğini anlamadım' demek için dilini kıpırdatır gibi oldu, sonra sustu, sonra biraz düşünüp; "Ey arabalı sokak çocuğu, yarın düğünüm var onlar için düğün, benim için ölüm! Beni zengin bir Türk ailesinin tipsiz, şımarık, kabadayı kılıklı oğluyla evlendirecekler. Yani sizin Türk filmleri gibi batmak üzere olan zengin bir aile son çare olarak güzel kızlarıyla borsaya açılırlar. Yani Fatima'nın her yeri bütün hisseleri zengin bir aile tarafından satın alındı. Yani özetle beni sevmediğim biriyle servetlerini birleştirmek için evlendirecekler. Suriye'de amcamın oğluyla evlendirip genlerimi bozacaklardı. Ondan kurtuldum şimdi de bu yamyamlara gelin olacağım" dedi.

Hemen muzur bir saflıkla "Zavallı güzel kız seni bana verseler ya!" diye düşünüverdim. Nasıl olsa düşünmek, hayal etmek bedava. Kim kızını benim gibi gezgin, sanatla uğraşan, yalnız, berduş, dürüst ve namuslu bir deliye verir ki?

Ben huzurlu ve muzurlu kıs kıs gülerken, kömür gözlü beyaz tenli sevimli hırsızım, baygın gözlerime artık daha rahat bakıyordu. Arkasına yaslanıp gözlerini kapattı ve tatlı bir rüyaya dalar gibi devam etti.

"Beni buralardan götür müsün, hadi var mısın deniz nereye biz oraya gidelim? Hem sana arkadaş olurum, sahilden sahile kasabadan kasabaya gezeriz, yüzeriz, yazarız, çizeriz. Yol nereye kader nereye biz oraya gidelim. Yoksa burada benim sonum gelecek ömrüm bitecek daha 25 yaşında. Tut kolumdan da beni buralardan götür, lütfen ne olur?"

Hep hayalini kurduğum Ege gezisi gerçek olacağı için öyle heyecanlanmıştı ki dilim damağım kurumuş, düşlerim bile kıpırdamıyordu, donakalmıştım. Hem de yanımda bu dilleri güzel dilber olacak.

Öyleyse ne kadar derin bir şaşkınlığa, bir deliliğe düşsem azdır. Dondurucu kış gecelerinde, terleten, bunaltan, sivrisinekli yapış yapış yaz gecelerinde, karanlık yalnızlıklarda, sıkış tıkış işkence altında geçirdiğim arabalı gecelerden sonra sanki bir cennet bahçesinin kapısı açılıyordu.

Hemen kendimi toparlayıp zıplayan kalbimin üstününe basa basa ona doğru döndüm. Her gün böyle güzel biri tarafından kaçırılıyormuş gibi burnu dik ve karizmatik bir şekilde; "Ey arabalı sokak kızı hemen çantanı toparla iş, güç, incik, boncuk, ufak ve büyük şeyler burada kalsın. Hadi artık teker döner, direksiyon nereye biz oraya. Yalnız çabuk ol, benim vitesim her an değişebilir, asfaltı yakıp gazlamadan dön yanıma!" dedim.

Fatima elimi tuttu bir eliyle de kapıyı açtı, gözlerimin tam içine titreyen nemli gözlerle bana baktı. "Tamam canım hemen geliyorum, beni burada iki dakika bekle, yaz yağmuru gibi gidip geleceğim" dedi.

Yaz yağmuru değince korktum. Kimi yaz yağmuru şöyle bir-iki dakika insanı serinletip, hoş bir ferahlık bırakıp geçip gider. Bazense portakal büyüklüğünde dolu taneleriyle balyoz gibi korkunç bir fırtınayla iner tepenize. Ağzınızı burnunuzu kırar, arabanızı bile delik deşik edip façasını bozar, kaportasını yamultur birkaç saat önce yaşadığım gibi.

Ben sadece beklemeye başladığımda iki dakika geçmişti bile ve biraz daha beklediğimde yarım saat olmuştu. Bir arabalı sokak çocuğu olarak işim beklemek ve tepeden tırnağa sabır olduğumdan, daha sıkılmama çok vardı. Birkaç kuruş kar etmek için arabada geçirdiğim günlerin, gecelerin yanında, böyle bir mutluluk için aylarca bekleyebilirdim.

Aşkın acısı da beklemesi de güzeldir ama bu ayrılık 1 saati geçmişti. Ve benim dallarım koltuk aralarına doğru uzamaya başlamış, vites koluna sarmaşıkları dolanan bir ağaç gibiydim. Ulan yine kazığı yedik, yahu bu güzel kızlar hep böyle hilekâr, şeytan soyundan mı derken, yan kapının 'çıt' sesi geliverdi.

Sonra ' Çıt çıt çıt...' kan ter içinde hem ağlayan hem de gülen bir bakışla çıldırmış bir halde kapıyı zorluyordu. Küçük bir çanta olan diğer koluyla da kızgın kızgın cama vuruyordu sanki saatlerce arabada bekleyen kendisiydi.

Fatima yan kapıyı açmak için telaşlı telaşlı uğraşıyordu. Olduğu yerde zıplayıp kanguru gibi tekme atarak ve dönüp dönüp arkasına bakarak kapımı çekiştiriyor. Bu hali bana çok sevimli gelmişti.

Ben yılların alışkanlığıyla o arabadan indiği gibi kapıları kitlemiştim. Eee burası İstanbul her zaman Fatima gibi davetsiz Tanrı misafirleri denk gelmez. Bir anda hapçısı, gaspçısı, manyağı, sapığı da olabilir yan koltuk arkadaşınız.

Kafanıza dayadılar mı tabancayı, bıçağı, kırık bir şişeyi geçici bir eğlenceden ibaret olan bu hayattaki parti biter. Belki de Ege yerine en büyük başarının ödülü olan cennete gidersiniz. Acaba herkesin cennete gireceği bildirilseydi, Dünya üzerinde insan kalır mıydı?

Hemen kapıyı açtım koltuğa hızlıca oturup çantasını arkaya fırlattı. Nefes nefese bir şey söylemeye çalışıyordu, yutkundu ve; "Arabalı sokak çocuğu hemen gazla evde görümcelerim vardı, bin bir yalan uydurup arka bahçeden gizlice kaçtım ki ben asla yalancılardan olmadım" dedi kekeleyerek ve titreyerek.

Vay be dürüst kız bak hiç yalan söylemezmiş. Namuslu, arsızlığı, yolsuzluğu, ahlaksızlığı yok belli, Suriyeli olduğuna göre Müslüman'dır. Şu zengin aşireti beni delik deşik etmezse bu kızla evlenilir. Aslında hiç yalan söylemedim, şöyle Müslümanım, şöyle hacıyım böyle hocayım diyenden korkacaksın ya neyse.

Benim ürkek serçem gelmiş ve haydi uçur beni diyordu, oysa onun kanatları vardı benim ise sadece asfaltı yakan lastiklerim... Ve İstanbul sokaklarını, adaları, işi gücü, sazı cazı, kalemi, kağıdı ve hatıraları buruşturup katlayıp arabanın bagajına attım ve gazladım.

Fatima'nın her hecesinde tekerlerim eriyordu, bir bakışında şanzımanım dağılıyor, dokunması ise patlama etkisi, yanımda atom parçalanıyor, egzoz alev atıyor, motorum sarıyordu.

Böylece küçük Türkiye turnesi maceramız yolların, denizlerin, dağların şahitliğinde başlamıştı.

O anki huzur, muzur ve heyecanla öyle bir gazlamıştım ki bir saat sonra Anadolu'ya dalıvermiş neredeyse İzmit'e gelmiştik bile. Yolda pişmaniye ağaçlarını görünce canımız çekti ve durduk. Tarlada pamuk toplayan çiftçiler gibi ağaç dallarını eğip yumuşak yumuşak kartopu gibi pişmaniyeleri kutularımıza doldurduk.

Ve en sonunda hayatın gerçeği yani ödeme zamanıydı. Pişman olmadan yediğimiz pişmaniyelerin parasını ödeyip tekrar yola döndük. Arabam asfaltın üstünde ben bulutların üstünde ışınlanır gibi Bursa'yı geçtik, damağımızda tereyağlı nefis bir İskender tadıyla birlikte...

Şeritler, dağlar, ağaçlar, evler ve insanlar geçiyordu, zaman geçiyordu bir tek heyecan, aşk ve kalbimdeki gümbür gümbür titreşim geçmiyordu. Efsanevi aşkımız henüz resmen başlamamıştı ama biz el ele, göz göze, diz dize kardeş kardeş sevişiyorduk sanki. Ve giriyorduk balıkların bile kıpırdamadığı camdan denizlerin ülkesine, Ege'ye.

Ege'ye her türlü aşıktım, her tarafına sevdalıydım elbette… Ama bir de yanımda Ege kadar güzel bir hatun olunca, keyfim daha da bir ağdalanıyor, zevkim daha da cilalanıyordu. Yollar akıp gidiyordu, kah arabada, kah ormanlık deniz manzaralı molalarda, tatlanan bir muhabbet ve kanatlanan bir aşkla ilerliyorduk.

Büyülenmiş, her şeyi unutmuştum işi gücü, sazı cazı, parayı pulu, efendiyi kulu. Hepsini kesip, biçip, parçalayıp geri dönüşüm kutusuna sallayıvermiştim.

Hipnoz haindeydim, pamuk gibiydim; kaslarım gevşemiş, kemiklerim hafiflemiş, kanım incelmişti. Bilincim kapanmış, bilinçaltımın hayalleri sınır tanımaz haldeydi. Ama her hipnozdan sonra biri elini şaklatır ya kabustan ya da güzel bir rüyadan uyanırsın.

İlk durağımız Sarımsaklı oldu. Arabayı bir sokağa bırakıp turistleri, seyyar satıcıları, atları yarıp kendimizi denize attık. Saatlerce yüzüp denizde oynadıktan sonra bir sahil kafeteryasının duşunda, çaktırmadan denizin tuzlarından uzaklaştık. Ama kokusu, neşesi üzerimizde kaldı. Sokaklarda dolaşıyor bir şeyler içip eğleniyorduk.

Ayvalık'ta denizden yeni çıkmış, tap taze devasa tostlarımızı yemeye çalıştık. Meşhur tostlarını o kadar lezzetli ve çeşitli malzemelerle dolduruyorlar ki yiyebilmeniz için kürek gibi bir ağzınız olmalı veya mutluluktan ağzınız kulaklarınıza varmalı. Yani bizim için yemesi çok kolaydı…

Dağlar denize dik uzandığı için mi bu denize böyle güzel? Cam gibi balık bile kıpırdamıyor. Burada deniz uzaktan yanık mavi yanına geldiniz mi sırça mı, su mu anlayamazsınız!

Böyle bir denize dalmanın, akvaryum balıklarıyla yüzmenin, kayalardan atlamanın tadını, ahşap tekne turlarıyla alıyoruz. Neşeli kalabalıklarla açılıyoruz denize.

Tertemiz cam gibi bir su, renkli balıklar, gizli batıklar karşılıyor bizi, egenin küçük adalarının küçük limanlarında. Ve her limanda yaşanmış bir aşk, bir sevgili gibi hatıralar kalıyor hafızada.

Gülüyorduk, koşuyorduk, coşuyorduk ama doymuyorduk muhabbete, neşeye, güneşe. Gece olunca deniz kenarında, kumsalın içinde bir barda oturuyoruz.

Kulağımıza minik dalgaların hışırtıları, ayaklarımıza kumsalın kırıntıları dokunuyor. Bir şeyler içip gırgır şamataya, salataya, makaraya, şakalara gece yarısına kadar devam ettik. Uyku gelmeye başlayınca, Fatima sordu;

"Eeee arabalı sokak çocuğu gündüz öyle böyle geçti de gece ne yapacağız, nerede yatacağız?"

Kimseye muhtaç değildim ama işiniz serbest meslek ve özgür sanatçılık olunca; bir ay genel müdür maaşı alırsınız, bir ay asgari ücret. Böyle de olsa milyoner bir sokak sanatçısıymış gibi hiç bozuntuya vermeden, huzurlu ve muzurlu; "Bir sürü pansiyon, hotel, motel var buralarda, birinde kalırız canım o iş kolay" dedim.

İçeceğinden bir yudum alıp kafasını sallayarak arkasına yaslandı.

"Aaa olmaz! Sen Arabalı Sokak Çocuğu'sun senin evinde kalalım, şu çelik dostun bizi misafir eder sanırım. Ben seni böyle aldım, beni ne müteahhitler, ne bürokratlar ne hortumcular istedi ama ben seninle kaçtım, arabada yatmadıktan sonra bu nasıl macera?" dedi bademciklerine kadar gülerek.

Oysa benim kedigözlü dört tekerli sürüngenim, beyaz tenli arabamın ne kadar kıskanç olduğunu bilmiyordu. Yolda hasetliğinden kaç kez bizi uçurumlara, kaldırımlara savurmuştu da ben son anda kurtarmıştım. O bunları ufak kazalar zannetmişti ama ben kıskanç arabamın oyunları olduğunu biliyordum.

Benim arabam öyle kıskançtır ki, biz bir ağaç altında, bir uyku tulumunun içinde sarıp sarmalanıp yatsak bile o gelir bizim aramıza girer. Farları gözlere, tekerleri ayaklara, karbüratörü ağıza dönüşür. Delirmiş, âşık bir Transformers olur ve beni her kaçamağın ortasında yakalayıverir.

Ama yeni sevgilim yani arabamın üstüne getirdiğim kuma, benim kara gözlü Fatima'm beraber yatmak istemişti, ne yapabilirdim ki? Fatima'yı sahildeki büfeye künefe almaya gönderdim.

Arabamı bir kenara çekip dakikalarca konuştum, kaportasını okşayıp, torpidosunu silerek sevgili misafirime alıştırmaya çalıştım. Direndi ama elini kolunu bağlayıp arka koltukları yatırınca, artık olandan zevk almaktan başka şansı kalmamıştı.

Fatima elinde poşetlerle zıplaya zıplaya gülerek geldi. Akşamla birlikte kararan denizi izleyerek, bir ağaca yaslanıp bir şeyler içtik. Ve sonra denizin tam ortasında oynaşan bir yakamoz ve onun sahibi kocaman tabak kafalı bir ay vardı.

Hafif bir rüzgar ve uzaydan dünyayı izlemek gibi bir şaşkınlık veren bir manzara, çok şanslıydık. Saatlerce konuştuk diz dize göz göze, o hayatını anlattı ben hayatımı anlattım. Küçük bir roman yazıldı Ege'nin deniz kenarında bir çam ağacı altında.

Gece yeni başlamıştı ama gün bitmiş, gece yarısı olmuştu. Sonra uykunun ağırlığı ikimizi de yerin dibine doğru çekmeye başlamıştı. Sarkan bedenlerimizi toparladık ve arabaya doğru sarmaş dolaş yürüdük. Arka koltuğa uzanıp ön koltukları yatırdık ve bütün camları sonuna kadar açtık.

Arabamın müsaade ettiği kadarıyla yıldızları görebiliyorduk. Gökyüzü cam gibiydi, ay dolunay. Ve biz iki yabancı, dünya gibiydik evrenin bir yerinde küçük tek bir nokta.

Ege'nin, orman ve denizin huzuru tenlerin temasıyla muzura dönüşüyordu. Yaz gecesi yanıyordu biz yanıyorduk, sabaha kadar defalarca beraber olduk.

Karanlık ormanın derinliklerinde, arabam kıskançlıktan çıldırmış sağa sola savrulup, sallanıp duruyordu. Ve sabah oldu, serin bir meltem yüzlerimize dokunup ikimizi de uyandırdı.

Çok mutlu, dinç ve neşeliydim. Hemen şortumu giyip ormandan aşağıya koşarak indim ve sabahın buz gibi Ege'nin saydam denizine daldım. Balıklar; vatozlar, renkli renkli deniz canlıları yeni doğan kızıl güneş bana eşlik ettiler.

Denizin dibinde gözlerimi açıp tuzlu suyun sıkıştırdığı beynimle düşünmeye başladım. Çok mutluydum ve biraz da huzursuz. Onunla sevgili olmuş defalarca beraber olmuştuk ama biz evli değildik. Bu bende bir pişmanlık ve ilahi bir huzursuzluk yarattı. Gerçi kabul etse hemen yarın onunla evlenirdim, bu düşünce beni biraz da olsa rahatlatmıştı.

Kırsalın geleneğselinde mahalle baskısı ve imam askısında yıllarca asılı kaldıktan sonra birden, hiç hesapta yokken sanatla tanışmıştım. Sıcak kumsallardan, kutup sularına atlamak gibi bir şeydi.

Çikolata turşusu gibi bir şey acayip... Genelde entelektüel insanlara karışıyorsun sende entelleyip, rahatlıyorsun, sosyalleşiyorsun. İlk zamanlar değişik ve karizmatik geliyor ama insan insan işte sağcısı, solcuyu her biri ayrı bir dünya. Ama benim geleneksel ve manevi yönüm hep ağır basmıştır, sanatın kokteylinde, davetinde, âleminde, sahilinde, meyhanesinde.

Arabaya döndüğümde giyinmiş kültürfizik hareketleri yapıyordu bana sarıldı. Çok rahat ve neşeli gözüküyordu. Enerji kaybımızı enfes bir köy kahvaltısı ile giderdik ve tekrar yola koyulduk. Ege'nin muhteşem sahillerinin hepsine uğruyor, yüzüyor eğleniyor, gülüyor, koşuyor ve coşuyorduk her gece...

Dağların yamaçlarından yılan gibi dolanıp ormanların koynuna sokulurken Fatima sürekli telefonla konuşuyordu. Arapça olduğundan hiçbir şey anlamıyordum.

Sorduğumda Suriye'den bir kız arkadaşım dedi. Öyle deyince içim biraz rahatlamıştı. Onu bu kadar güldürüp mutlu eden erkek kardeşi bile olsa huzursuz olurdum. Kıskancım, acımadan sokarım akrep gibi, arı gibi, katil gibi ama yılan gibi değil bana sarılanları sokmam, beni sevenleri sokmam!

Göz göze diz dize, vites vitese Bodrum'a kadar gelmiştik. Burası Ege'nin en sevdiğim yerlerinden olduğundan belki de son durağımız olacaktı. Belki de buraya yerleşip kalan ömrümüzü burada geçiririz. Artık zoraki yaşadığım İstanbul bataklığına asla dönmem diye düşünmeye bile başlamıştım.

Yüzlerce kilometre geçip gitmişti ama bizim neşemiz ve aşkımız bitmiyor, Bodrum'un her tarafını dolaşıyorduk. Aşkımız büyüyordu ama benim cüzdan iyice küçülmeye başlamıştı. Arabada kalıp denizde yıkanarak günlerimiz geçiyordu, o da sesini çıkarmıyordu.

Bu kadar rahat olmasına şaşıyordum doğrusu. Her kız günlerce arabada kalmayı, ağaçların altına tuvaletini yapmayı, bazen restoran tuvaletlerinde yıkanmayı bu kadar eğlenceli bulmaz.

Beni gerçekten seviyor galiba her zorluğa benimle birlikte göğüs geriyor. Ama paralar suyunu çekmişti beni ateşler basmaya, stres ve endişe sarmaya başlamıştı. Para bitti aşk bitti, eşek öldü ortaklık bozuldu derse ne yapardım.

Bu akşam Katamaran'a gitmek istiyor, bakalım paramız yetecek mi? Hesapları ödeyemezsem gecenin ortasında bizi denize atmazlar inşallah! O denizde beni yunus ta yutmaz.

Işıklara doğru yüzerim, artık Bodrum'a mı çıkarım, Yunan adalarına mı bilinmez. Belki de Fatima borcumuzu ödemek için direk dansı yapıp soyunmak zorunda kalır ve ben o gemiyi yakıp herkesi boğarım. Bu kabus düşünceleri, beynimin kıvrımlarında dolanıp dolanıp duruyor.

O gün Bodrum merkezde dolaşıp vitrinleri izlerken Fatima çığlık çığlığa bağırarak koşmaya başladı. Uzun boylu manken gibi esmer bir kızın kucağına atladı. Dakikalarca birbirlerini kucaklayıp öpüşüp koklaşıp neredeyse yolun ortasında sevişmeye başladılar. Erkek olsa o an katil olurdum öyle kıskanıp içim yandı.

Sarılıp koklaşmaları bittikten sonra kızı kolundan tutup yanıma getirdi.

"Arabalı Sokak Çocuğu bak bu Menese benim en sevdiğim arkadaşım. Hani sürekli telefonda konuştuğum çılgın kız" dedi.

Menese ile tanıştık, sarıldık. O da savaştan sonra Suriye'den bu taraflara gelmiş. Ailesi Suriye'nin önde gelenlerindenmiş. İstanbul'a yerleşmişler, Türkiye'yi çok sevdiğini söyledi, özgürlük ve mutluluğu ve Fatima'yı burada bulduğunu söylüyordu.

Artık üç kişiydik bu iki güzel kızla birlikte Bodrum'da dolaşıyor yiyip içim geziyorduk. Menese'nin durumu çok iyiydi, bütün ısrarlarıma rağmen bana hesap ödetmedi. O gün gece dörde kadar Katamaran'da çılgınlar gibi eğlendik. Hesapları Menese ödediği için ben bulaşıkları yıkadıktan sonra denize atılmadım, Fatima da bedeninin kıvrımlarını satmak zorunda kalmadı, çok mutluydum.

Fatima onun yanından hiç ayrılmıyordu sabaha kadar sevişir gibi dans ettiler. Ben kıskançlıktan kendimi yiyor kemiklerim birbirine giriyordu. Galiba arabamın ahı tuttu! Fatima'yla arabamın içinde aşkımı yaşarken çelik dostuma hiç acımamış, onu hiç düşünmemiştim. Şimdi kıskançlıktan delirme sırası bendeydi.

Menese geldikten sonra Fatima yüzüme bile bakmıyordu, içkisine buz istemek dışında benimle konuşmuyordu bile. Ve ben daha da deliriyor ,titriyor, hırlıyor hırslanıyordum. Sabah beşe doğru Katamaran'dan Bodrum'a döndük.

Onlar çok mutluydu. Benim bulanık zihnimdeki tek şey; aramıza kara kedi gibi giren Menese'den bir an önce kurtulmaktı. Onu yakarak, boğarak, bıçaklayarak, ezerek öldürdüğüm anlar, çift gören gözlerimin önünden film karesi gibi geçiyordu.

Hepimizin kafaları uçmuştu. Buna rağmen çıldırtan kıskançlık düşünceleri aklımdan çıkmıyordu.

"Acaba arabada üç kişimi yatacağız, bu kadın bizi gece de yalnız bırakmazsa kesin deliririm!" diye düşünüyorum.

Yıkıla yıkıla arabaya bindik ve hala bir lunapark gondolunda gibi sallanmaya devam ediyorum;

"Arabalı Sokak Çocuğu bizi Yalıkavak'a çek bu gece bizdeyiz, artık arabada yatmak yok!" dedi Menese.

Ben de dönme dolap gibi dönen kafamı sallayıp gazladım. Savrula savrula Yalıkavak'ın en tepesine çıktık, güneş doğuyordu. En tepede muhteşem bembeyaz bir villanın bahçesine girdik. Arabayı ortasında mermer bir çocuk heykeli olan havuzun yanına bırakıp debelene debelene arabamdan inip eve doğru ilerledik.

Evin girişinde altın rengi sütunlar ve cilalı mermer yer döşemesi vardı. Sarmaş dolaş içeri girip geniş salondaki uzun koltuğa oturup nefes aldık.

Yeni doğan güneşin aydınlatmaya başladığı adalar ve uçuk mavi Ege manzarası ayaklarımızın altındaydı. Dünya uyanıyor biz sızıyorduk. Manzara altımızdan kayıyordu san ki görüntü gelip gidiyordu, her nefes alışta daha sarhoş oluyordum. Aklımda bir sürü soru vardı ama konuşmaya değil düşünmeye bile halim yoktu.

Ben koltukta uzanıp gözkapaklarım günün son perdesini kapatırken, onlar birbirlerinin kalçalarını sıkıp sarılarak yukarıya doğru çıkıyorlardı.

Mum sönüyordu, başım dönüyordu, oda dönüyor, dünya dönüyor. Ağzımda fazla kaçırılmış şarabın ekşi pişmanlığı... Kapanmak üzere olan gözlerim şömine ateşine odaklanmış, saniyeler sonra beyaz bir karanlığa gireceğim... Ve sızıyorum.

Öğle güneşi ile yarı ölü halim sona eriyor ve gözlerim zar zor açılıyor. Başımın önünde duran şişeden kırılan güneş ışınları, kıpkırmızı vuruyor hala çift gören gözlerime... Bir burun darbesi ile şişeyi koltuktan aşağıya atıp yavaşça doğruluyorum.

Ağzımda buruk bir tat, boğazımda batmalar ve bedenimde morluklarla yarı sakat zar zor ayağa kalkıyorum. Büyük cam kapıdan, üzerinde güneş pırıltılarının çalkalandığı havuza ve vadinin mavi yeşil yansımasına bakıyorum gözlerim çökmüş...

Sonra da dönüp odaya bakıyorum. Oda darmadağın olmuş. Çorap, atlet, don, kilot, içki şişeleri, sigara izmaritleri her yere dağılmış ve birbirine girmiş bir mobilya yığını. Eve geldiğimizde evin bu halini bulamaç haline gelmiş beynim hiç fark etmemişti.

Ayıldığımda saat öğleden sonra dört olmuştu. Salondaki cam kapıdan geçip havuzun yanına geldim. Havuzun suyu Fatima'nın vücudunun kıvrımlarından aşağıya akarken, o havuzdan dışarı çıkıyordu. Sırılsıklam bana sarılıp; "Günaydın Arabalı, gecen nasıl geçti iyi uyudun mu?" diye sordu.

Ben bitkin yorgun hala ayılmamıştım. Mor gözlerle ona sert sert bakıp; "Yanımda yatsaydın nasıl geçtiğini bilirdin!" dedim.

Biraz bozuldu ama sonra gülümseyerek "Menese benim en sevdiğim arkadaşım biz hep onunla yatarız" dedi.

Sonra havuzun ucundaki parmaklıklara doğru yürüdük. İnanılmaz bir manzara bütün Bodrum, deniz ve adalar hepsi gözüküyordu ve sonsuz bir uçurum. Denizin o yanık mavisi, dünyanın sanki merkezine demir atmış milim kıpırdamayan tekneler ve rüzgar o saçlarımı koparamayan rüzgâr... Biraz parmaklıklara yaslanıp manzarayı izledik. Rüzgârın yüzüme yapıştırdığı saçlarımı sıyırıp; "Hadi Fatima hazırlan daha Ege'de göreccğimiz çok yer var, Datça, Fethiye, Dalaman sonra da İstanbul'a döneriz!" dedim biraz sinirli ve maço.

Gülümsedi kendinden emin ve ukalaca şezlonga oturup ayak ayak üzerine attı ve kokteylinden yudumlayarak; "Arabalı saçmalama! Türkiye'nin en güzel yerinde ve muhteşem bir villadayız, artık arabada yatmak yok, arzulanacak her şey var burada, şeytanın bile sıkılacağı kadar özgürlük ve tatlı bir günah var burada, istediğin kadar kalabilirsin. Bedava beş yıldızlı bir tatil daha ne ister insan! Anlamadın mı ben Menese'yi seviyorum yani ben aslında kadınlardan hoşlanıyorum" dedi.

Bu sözleri duyduktan sonra sanki beynim yatağından çıktı kafatasıma çarpa çarpa takla atıyordu. Zaman durmuş, mekân durmuş gözlerim bile kıpırdamadan, düşünmeden dona kaldım havuz kenarında.

Kendime geldiğimde her yer yanıyordu orman, deniz ve havuz yanıyordu. Kalbim yanıyordu hayaller yanıyordu. O ise buz gibiydi o kadar serin ve rahat, ufka doğru bakıyordu hiç ölmeyecekmiş gibi...

Subhan Allah deyip ona döndüm muhtaç, kimsesiz, korkak titreyerek; "Anlamadım! Haftalardır gezen, defalarca beraber olan biz değil miydik? Ne dediğinin farkında mısın? Madem böyle bir sapıklığın içindeydin, benim kalbimin zarını niye deldin?" dedim.

Umurunda bile değildi, ne ben, ne de sözlerim. Anlatsam da birdi anlatmasam da. Kulaklarına ağırlıklar inmiş, gözleri perdelenmiş, kalbi mühürlenmişti. Ölümsüz gibiydi, bir firavun gibi. Öyle çirkinleşti ki güzel yüzü bir anda darmaduman oldu. Aşkından öldüğüm kadın bir anda buruşup, sarkıp iğrenç suratlı bir cadı gibi eriyordu gözümün önünde.

Ayağa kalkıp koluma girdiğinde, çatlak çatlak, sivri uzun tırnakları olan yaratığın bir parçası sarktı sanki kolumun arasından. Diğer eliyle de parmaklıklara tutundu, benim kaçırdığım bakışları yakalamaya çalışarak; "Ey arabalı sen çok iyi bir insansın beni kurtardın buralara kadar getirdin seni çok sevdim yalnızlığını gördüm ve sana arkadaşlık ettim mutlu olmanı iyi vakit geçirmeni istedim, yol arkadaşı olduk ama son duraklarımız farklıymış. Sen benim ömür boyu en iyi dostum olacaksın. Lütfen burada kalıp tatilin tadını çıkar" dedi.

O konuşurken kafam önde, demir parmaklıkları eritircesine sıkıyordum ve sustum. Kahvaltı için alt bahçeye beraber inerken eliyle belimi sardı. Benim kafam öne sarkmış; bir enkaz, anılardan ve acılardan bir yığın, kanlı bir pislik çuvalı gibi yürüyordum.

Bıçak sırıtırken karanlıkta öyle bir baktı ki bana körler bile aşık olurdu o an Fatima'ya. Ama ben kör değildim artık…

Kan ter içinde nefes nefese arabaya geldim. Üzerimdekileri çıkarıp çöp tenekesine attım. Bir şort ve atlet giyip arabaya atladığım gibi gazladım. İçimde korku, pislik, pişmanlık ve heyecan vardı.

Kafamdaki binlerce düşünceyi temizleyip soruları cevapladığımda Ayvalık'a gelmiştim bile. Ve yol üzerinde sırtı çantalı yerli turiste benzeyen iki kız otostop yapıyordu. Özgür ve heyecan arayan iki üniversite öğrencisi; parasız yolculuk ve bir macera peşindeydiler.

İki kız Ege'de arıyorlardı mutluluğu. Entelektüelliği, depresyonu, can sıkıntısı ve tükenmişliği Nişantaşı'na, muhtaçlığı, yoksulluğu ve cahilliği İstanbul'un varoşlarına bırakmış, sırtlarına çantalarını yüklemiş, tatilde iki berduş gibiydiler.

Biri sarışındı eli belinde havalı, kafası öndeyken bile kibirli ve tehlikeliydi. Ve güzelliğinin, kirpiklerinin ucuna kadar farkındaydı. Beline kadar çıkmaya çalışan kısacık şortundan aşağıya doğru incelen uzun bacakları vardı. Beline kadar büklüm büklüm dalgalanan mavi gölgeli sarı saçlarını, yüzünün ak pak parıltısını kendisi yaratmış gibiydi.

Burnu büyüklük mü yapıyordu teşhirci pozlarıyla yoksa yücelerden mi olmuştu, kodaman cücelerin bile ölümü tattığı şu yalan dünyada... Bilmediği başka şeylerde vardı ama öğrenecek çok vakti kalmamıştı, elliyle belini sıkıp balon gibi kalçasını çıkartarak durmam için el sallarken.

Onları arabaya aldım, beni öldürecek kadar güzel ve tatlıydılar. Ve ellerinden düşürmedikleri akıllı telefonlarda, onlara akıl veren iki erkek arkadaşları vardı. Kalbimin zarı yeni iyileşmişken ikinci bir deliği kapatamazdı.

Şen şakrak, neşeli, öz güvenli, umursamaz, rahat ve davetkâr tavırları vardı. Hayatın daha başında olan,

emeklemeyi bile bilmeyen ama kedilerini profesör sanan üniversite öğrencileriydi onlar.

Onlar için her ışık yeşil, acılar önemsiz, onlar hep genç kalacaklar, asla saçlarını kestirmeyecekler, dövmeleri asla çürümeyecek toprak altında, asla etek giymeyecekler, göbekleri hep açık kalacak, göğüsleri sarkmayacak, kimseye bağlanmayacaklar, onlara dokunan yanacak, hiç doğurmayacaklar ve onlar gibisini hiç kimse doğurmadı. Bir zamanlar benim de başımı döndüren üniversite yılları işte…

Onları, alabildiğine yemyeşil bir vadinin ortasında, koyu mavi bir denizin uzandığı, minik sevimli bir bahçede çay içmeye davet ettim. Sarışının burnu büyüyüp sivrildi ve dikleşti.

"Şey bizim randevumuz vardı, şu ilerdeki kavşakta bizi bıraksanız daha iyi, oradan bizi alacaklar" dedi. Belli ki beni bırakıp playboylarına gideceklerdi. Onlarla uçup gideceklerdi, başka semtlerde ki başka alemlere ya da benden kurtulmak için bir bahaneydi.

Beni yalnız mı bırakacaklardı? Ama ben sevgilimle yolculuğa öyle alışmıştım ki. Tam bir yalnızlık, artık çelik dostum da anlamını yitirmişti. İnce bir teneke gibi geliyordu bana, tekerleri bile paslanmıştı benim için. Onu bile buruşturup atabilirdim uçurumdan aşağıya.

Onların parçalarını bir dere kenarına bıraktım. Orada alacalı davarlar, tek başına duran bakanlara mutluluk veren sarı lekesiz bir inek, çayır çimen, böcekler ve kırmızı gözlü aç köpekler vardı.

Ve İstanbul sokaklarına geri döndüm. Siren sesleri canavar düdüğü gibiydi, polis arabaları sinsi ve ben daha gizli, daha sessiz daha tehlikeliydim.

Zenginlik araba sahibi olmak değilmiş. Şimdilerde küçük taksitlerle araba almayanı dövüyorlar. Benim de bir zamanlar bu yöntemle bir arabam olmuştu, çelik dostum, kedi bakışlım.

Araba almak önemli değil, asıl mesele onun karnını doyurmak, sırtını sıvazlamak, moralini yüksek tutmak, devlete olan kiralarını ödeyebilmek, hastalandığında bakmakmış.

Benzin fiyatı neredeyse sucuk fiyatına yaklaşmışken sürekli kullandığınızda ev kirasından farklı değil. Karşılıksız sevgi olmaz deyip çok sevdiğim arabamın bana nasıl faydalı olacağını düşünmeye başladım.

Meslek gereği Türkiye'nin her bir tarafında olabilen etkinliklerime onu da götürmeye karar verdim, tabii sadece araba olarak değil ev, eş, arkadaş olarak... Yollarda olduğu gibi geceleri de benimle olacaktı.

Onu sevsem de çok iyi davrandığımı söyleyemem. İçi yıllardır temizlenmedi, dışına ise yağmurdan başka dokunan olmaz. Ona dokunsa dokunsa diğer arabalar dokunur ve yaralarını kendi yaptığım pasta cila ile kapatırım.

Ama yine de onu asla aç açıkta bırakmadım. Artık 10 yıldır istemediğim borçlarını ödeme zamanıydı. O da beni sever esasında, çelikten olsa da bir kalbi olmalı kaç kez hayatımı kurtardı hatırlamıyorum.

Ve kıskançtır. Onu her satacağımı söylediğimde üzerine kuma gelecek bir kadın gibi tırnaklarını gösterir, kendini sağa sola çarpıp benim vicdanımı tırmalar.

Gerçi dört tekerli arkadaşımı karşılık beklemeden seviyordum ama para da onun gibi teker, koltuk, jant gibi bir maddeydi işte. Araba dediğin çelik, cam ve lastik yığınıdır ama onunda bir canı vardır, ruhu vardır.

Sanki yokuş çıkarken onun kadar yorulur, homurdanır ve onun için üzülürdüm.

Yağmur yağdığında onunla ıslanır, güneş tepedeyken onunla kavrulurdum. Eve giderken o yorulmasın diye en kestirme ve en düz yolları bulur, onu yokuşlara vurmazdım.

Bir gün bir döner kavşağı dönerken, arabamın bir hemcinsi cıyaklamalar içinde bize sağ tarafımızdan toslayıverdi. Titreşimli, derinden gelen o korkunç sesle birlikte kaportamın çöküşü ve bir lastiğimin patlaması dehşet vericiydi.

Her şey saniyeler içinde oldu ve bitti ama acısı hâlâ duruyor. Çarpışma anında arabamın beni saran kolları yani kemer olmasa kafamı patlatmam veya yüzümün dağılması kaçınılmazdı.

Gerçekte bana hiçbir şey olmadı ama arabamın sağ tarafı çöktüğünde benim de karnımı bir hançer yarıp geçmişti sanki öyle bir acı… Sigortayla ve sürücünün sarhoşluğuyla bu kazayı maddi kayıpsız atlatmıştık.

Fakat arabamın çektiği acılar dayanılmazdı. Bir tekeri patlak, sağ yanından yaralı halde evimize dönüşümüzü hiç unutamam. Sanki o değil, ben onu sırtımda götürmüştüm.

Duygusallığı bırakıp gerçek hayata dönersek tek amacım kazandığımı otellere vermemek için yazar, çizer, gezerlik günlerinde arabada yatmaktı. Ne geceler geçti ne geceler dört teker üzerinde, çelik ve cam örterken üzerime…

Sokakta, otel köşelerinde, karakol önlerinde, işkembecilerde, benzin istasyonlarında, tren istasyonlarında, bir sokak lambası altında, bir meydan kaldırımında, AVM garajlarında, sosyetik mahallelerin arka sokaklarında. Acıklı bir maceradır arabada yatmak.

Arabada nasıl yatılır, o geceler biter mi bana sorun. Dört duvar çelik ve cam biraz lastik, direksiyon, kaput, torpido, bagaj biraz balata ve radyonun en iyi dosttan daha iyi gelen sesi. Ama dikkat edin geveze bir radyo sabaha kadar açık kalırsa akünüzü bitirebilir.

Akünüz bittiğinde başka bir araçtan şarj etmek veya vurdurarak çalıştırmak için yoldan geçen insanlara yalvarmak Çin işkencesinden beterdir. Akünün bitmesi sizi arabalı bir dilenciye çeviriverir.

Arabadaki her santimetrekare idareli kullanılmalıdır. Arabada yatmak; bankta üzerine karton örterek yatan bir sokak çocuğundan biraz daha konforludur.

Arabanın arka koltuğundaki bütün gereksiz malzemeler bagaja alınmalıdır. Yanınızda olmasını istediğiniz çer çöp, çerez, çikolata, su, kitap gibi malzemeleri uykuya geçmeden yanınıza almalısınız. Çünkü gece arabadan her inişiniz ve her hareket edişiniz yakalanma riskidir.

Akşama doğru işiniz biter ama obur, azgın zaman bir anda durur, huysuz bir kedi gibi iştahı kesiliverir, en neşeli, en serseri hallere girersiniz ama nafile. Zaman denen azman, mama tasına kafasını sokar ama bir saat bile yememiştir, etrafa döktüğü saniyeler ve birkaç dakika dışında.

Zaman kedi gibidir asla size yaranamaz. Yavaş geçtiğinde sıkılırsınız, hızlı geçtiğinde yaşlanırsınız.

Ve sonra bir yarış başlar anları tüketme yarışı. Arabada tek başına oturmak oldukça sıkıcıdır. Bir şeyler okur bir şeyler karalarsınız, camları açar cereyan yaparsınız, rüzgârdan ilham beklersiniz ama olmaz zaman geçmez.

Eğer gücünüz yeterse biraz sokak turu, sabahçı kafelerinde bir çay, işkembecilerde sarhoşları izlemek, sinemaların en son matinelerine girmek veya internet kafelerde sanal bir fırtına yaşayıp beyninizi iyice yormak, çivili tahtada uyumanıza biraz yardımcı olabilir.

Alışveriş merkezlerinde bir kahve, birkaç kitap, birkaç internet geyiğinden sonra en akıllıcısı sinemaya girmektir ama en son seansa. Bu hafta sonları saat gece bire kadar zamanlı güvenli geçirme garantisidir.

En son seansta genelde salonda tek başıma olurum ya da bir-iki çift bana eşlik eder. En romantik, komik, abidik gubudik filmleri seçerim. O saatlerde bir korku gerilim filmi izlemek hiç tavsiye edilmez.

En sonunda arabaya geldiğimde önce cebimdeki her şeyi boşaltırım çünkü direksiyonun, kaputun, vitesin batmalarının yanında cebinizdeki şeyler dayanılmaz olur. Fakat değerli şeyleri asla cama yakın bırakmayın bir anda kapıp kaçarlar ve kâr edeyim derken efkârlanırsınız.

Ve arabaya girer girmez hemen tüm kapılarını kapat yoksa istenmeyen Tanrı misafirlerin olabilir, sokak kedileri, sokak insanları, ayyaşı, balicisi, travestisi, galericisi, fahişesi, polisi, gaspçısı, kapkaççısı gibi…

Ve artık uyumak için çok geç, uyanmak için çok erkendir. Onun için ya sarhoş olmalı ya da beyni ölesiye yormalıdır. Veya birkaç sayfa kitap okumak, bir şeyler çizmek, düşünmek beyni yormak için alternatif yöntemler olabilir.

Saat gece bir olmuştur yavaş hareketlerle sallana sallana sinemadan çıkarsın. Sinema çıkışı çok ürkütücüdür. Kocaman alış-veriş merkezinde dolanıp çıkışı arayan tek kişi sensin... Devasa sırçadan bir şatoda yaşayan özgür ama yalnız bir ev sahibi gibisindir.

Anlatılmaz bir yalnızlıktır bu, zaten anlatacak kimseyi de bulamazsın. Sadece güvenlik görevleri vardır, AVM'nin köşelerinde, kuytularında veya kapalı kapılar ardında. Onları göremezsiniz ama onlar kapalı devre dijital gözleriyle her adımınızı izlerler.

Bazen arabada yatmaktansa çaktırmadan AVM'de sabahı etmeyi planlarım. Kışın sıcak yazın klimalı dev bir ev daha ne isterim. Sinemanın son seansına girerseniz gece bir buçuğa kadar konaklama bedavadır.

Ondan sonrası ise Topkapı Sarayı'nı soymaktan biraz daha kolay profesyonel bir plan gerektirir. Eğer WC'ler kapanmamışsa son bir su dökme bahanesiyle tuvalette sabahlanabilir.

Ama daha iyisi karanlık bir köşe bulup hemen uzanmak veya kimselere görünmeden açık dükkan standlarından birine sığınmaktır. Eğer hareket etmeden sabahlayabilirseniz, sabah saat 09:00 gibi çaktırmadan AVM çalışanlarının arasına karışıp bir geceyi daha bitirebilirsin. Hiç denemedim ama hayal etmek bedava.

Ha gayret saat ikiye yaklaşmaktadır. AVM karanlıklarındaki üniformalı gözlerin hapsinden çıkıp, 2 metrekarelik arabanda, hücre cezanı çekmeye doğru gidersin.

Ve günün bütün ağırlığıyla arabanın şoför koltuğuna yayılırsın. Ne kadar yorgun, durgun, solgun olsan da ilk denemede uyuyamazsın. Evindeki yatağında koynuna sokulduğu gibi uyku girmez gözlerine, sana giren sadece boynundaki ağrılardır.

Yan koltuktaki sevgilinin yerini sevimli bir sokak kedisi alır. Şaşkın, miskin, sihirli uzanışlarında keskin tırnakları ve parlayan yılan gözleri saklıdır. Köftenizden bir parça verdiniz mi eğer huysuz değilse en iyi arkadaşınız olur. O kadar sevimli, bebek yüzlü, tatlı ve iyi kalplidir ki nankörlüğünü görmeyip verirsiniz.

AVM'nin garajında bir tek senin araban kalmıştır. Nasıl bir yalnızlık; sütunlar, karanlık, borular, havalandırma boşlukları, bazen göz kırpan bozuk lambalar ama hepsi aynıdır hepsi gece. Sonra şoför koltuğu en geriye kadar çekilir ve sonuna kadar yatırılır.

Yağlı bir tahtaya uzanmış gibi uyumaya çalışırsınız ama ilk denemede mümkün değildir. Sağa dön sola dön olmaz. Ayaklarını koyacak yer bulamazsın, uzatamazsın da, görülmemek için kafanı bile kaldıramazsın. Yastığına sarılamaz, en sevdiğin pozisyonu alıp uyku denen dipsiz kuyuya dalamazsın.

Camları hafif aralık bırakmalısın yoksa buğu yapar ve arabada biri olduğu belli olur. Ama bu durum hassas bir ayar ister. Kışın camları açık bırakman demek, iyi örtünmediysen özellikle ayaklarının donması demektir. Sımsıkı sarılmak, motoru çalıştırıp arabanın kaloriferini açmak faydalı olabilir.

Yazın ise sivri burunlu sinekler, sivri topuklu kadınlar gibi seni delik deşik edip, kanını emmek için karanlık bir pusuda beklerler. Yazın camı kapatamazsın, üzerine bir şeyler örtüp, sarhoş olup sızmaktan başka bir şansın çoğu zaman yoktur.

Veya sinek kovan spreyler arabada geçecek rahat bir gece için tavsiye edilir. Rüzgar alan apartman arası sokaklar, yanları açık ama etraftan görülmeyen genelde meşe ağaçlarının kapadığı köşeler, yazın ferah bir mekan sunabilir size.

Birkaç pipo çekimi, birkaç şişe ve çerezlerle yaptığın gevezelikten sonra çişinin gelmemesi için dua ederek biçimsiz şoför koltuğuna uzanırsın. Ama yine olmadı. Çaktırmadan arabadan çıkıp bagajdan yastığını alırsın ve tekrar uzandığında biraz daha ev konforu hissedilir.

Mümkünse karanlık bir ağaç dibine işiyebildiysen uyku biraz daha yaklaştı demektir.

Tüm ızdırabına, endişe ve korulara rağmen en sonunda başına rahat bir pozisyon bulursun. Arabanın bir kuytusunda, uyku yorgun bedeninde sarkamaya başlamıştır artık... Kapı kolunda parlayan karikatürüne bakarak hiçbir şey düşünmeme gibi bir boşlukta, uykuyla ayıklık arasında dolaşırsın.

Bunca mücadeleden sonra uykuya dalma garantisi olmasa da hayal kurmak bedavadır. Arabada uyumak yerine üstü açık spor bir arada pühür püfür deniz kenarında yazın keyfini çıkarmak isterdim. Bir hayal kurarım; 60 model klasik antika ama pırıl pırıl modifiye edilmiş sıfır kilometre gibi bir araba...

Sevgilim ve ben arabanın rüzgarı saçlarımıza fön çekerken Ege sahillerinde tozu dumana katarız. Tabii geceyi bu harika arabada değil yedi yıldızlı muhteşem bir tatil köyünde geçiririz. Hayal işte sudan ucuz.

Bazen sağından, solundan, arkandan geçen arabaların farları seni dürtüp uyandırır. Ve yine dikilirsin koltuğunda gözlerin şişmiş, boş bakışların sokağın dört bir yanını dikizler, sıkıntı ve bıkkınlıktan bir çuval bir yığınsın artık, sokağın karanlık bir köşesinde.

Bazen kafanı biraz kaldırıp beton tavanı, havalandırma kanallarını izlersin ve bir beton gibi düşüncesiz olursun. "Ha gayret, hadi benim güzel beynim, artık biraz dinlen gün ağrıyacak sana söz veriyorum, hadi biraz uyu lütfen" derken. Gözlerin kapanıp ağzın sarkmaya başlamışken koltuk arasına...

"TIK TIK TIK TIK !" camın çalınır.

Rüya mı kâbus mu ne oluyor deyip direksiyona yapışarak kendini dikersin arkasız koltukta. Aslında çok korkulmaz kapalı otoparkta, camı çalan bir güvenlik görevlisinden başkası olamaz herhalde.

Camı açarsın, kıpkırmızı gözleri halkalayan mor hilal bir bakışla.

Görevli "Beyefendi, burada kalmanız yasaktır, otoparkı boşaltmamız gerekiyor, lütfen aracınızı çekin!" der.

"Yahu bir gece idare edin, yarın sabah yine AVM'de olacağım bir gece olmaz mı?" dersiniz ama nafile...

"Bak yarın iki tane big mac yiyeceğim borcum kalamaz size" dediniz o da nafile.

Başka bir limana doğru kontak çevrilip teker döndüğünde,saat gece üç olmuştur.

İşte gece bundan sonra başlar...

Uyuyan içinizden uyumayan bir şehre bir yolculuk başlar. Ve kocaman uykusuz şehrin tek dostu sen olursun eğer barı, pavyonu, sokakları dolduran ayyaşları saymazsak.

Sabaha kadar arkadaşındır İstanbul, sadece seninle konuşur kaldırımlar, trafik ışıkları ve işkembeci kaşıkları. Sabah oldu mu seni tanımaz İstanbul, fazlasıyla kalabalıktır. Ve bunları kimse bilmez milyonlarca insan uyuyordur.

Yollar bomboştur, tüm şeritler senin, İstanbul'un en güzel saatleri. Aslında benzin bitmeyecek olsa sabaha kadar turlamak ister insan. Eğer uyumaya niyetin yoksa arabayı beleş bir parka çekip 24 saat yaşayan Beyoğlu, Taksim'e gidebilirsin. Oradaki sarhoş, keş, karanlık kalabalıklar ve duman altı insanları bile yalnızlıktan iyidir.

Zaman güzel geçer ama uykusuzluk ve yorgunluk sabahı İstiklal'de etmene izin vermez. Barlardaki azgın kalabalık 'sabahlar olmasın' diye bağırırken, sen sabaha hasret arabandaki odana gidersin, artık pilin bitmektedir.

İskiklal'in geceleri ve gecelik sokak sakinleri bir alemdir, hepsi bir roman hepsi ayrı bir dünya.

Açı, kapkaççısı, keşi, leşi, hafif kadını, kilolusu, mankeni, sokak çocuğu ve hepsi kendi içinde sanatçıdır, ünlü ve patron. O sanat eseri binaların arasından akıp giderler.

Hepsi kendi dünyasında dümenini döndürür o kadar kalabalık, karışık ve dalgalıdır ki sokak, her şey bir şeylere benzer karışıp, kaynayıp akıp gider.

Ve bunları izlemek çok keyiflidir, yüksek bir kaldırımdan gecenin dördünde. Ayyaşlar yıkılmışken önünde, çamur, çöp içinde emeklerken bir sokak delisi, bir keş cigarsına asılıp ciğerinin derinliklerinde mutluluğu ararken...

Maceranın sonrası arabada bayılıp, sızıp kalmaktır ama bunun için güvenli bir yer bulmalı. Bir polis karakolu en güvenli yerlerden biridir. Önüne arabayı çeker ve uyumaya çalışırsın.

Polis hem çekindiğin hem de vazgeçemediğin bir dosttur, geceleri gündüze bağlarken sokakta.

Ama polis karakollarının önü sabaha kadar bitmeyen telâşlı bir trafik içindedir. Yaralananlar, şikayetçiler, hayat kadınları, hırsızlar, arsızlar gündüzü aratmayan bir trafik yaratırlar.

Bu cümbüşte uyuyamayıp iki kıpırdadın mı polis yanına gelir. Polis: "Burada bu saatte ne yapıyorsun?" der. Omzundan sarkan akrep'e nazaran son derece nazik bir tavırla.

Sen de derdini anlatıp başını derde sokmaktansa: "Bir arkadaşı bekliyordum, hemen gidiyorum" dersin.

Ve sonra korku ve saygıyla yol alırsın bir sonraki istasyonda, seni bekleyen gecenin uyumayan yanına.

Asfaltı sıyırıp, lastiği yakar uzaklaşırsın, arabada sabahlamak nezaretten iyidir...

Bir gece bir kaldırım kenarında arabanın buğulanmış camlarının arkasına sığınmış uyuyordum. Bir araba yanımda durdu ve rüya gibi gelen konuşmalar duymaya başlamıştım:

"Camlar buğulu amirim, 54 plaka içinde birileri olmalı, kontrol edelim."

Saat gecenin üçüydü sesleri duyunca hemen uyandım. Kirpiğimi bile kıpırdatmadan bekliyordum. Sonra biri el feneriyle cama yaklaştı ve içeriyi incelemeye başladı.

Kalbim, beynimin içinde atıyordu sanki öylece korku içinde bekliyordum. Aklımdan 'şimdi cama vursalar ne yaparım, derdimi anlatana kadar beni nezarete mi atarlar veya ömür boyu hapis mi?' düşünceleri geçiyordu.

Ama ben arabada yatan bir sanatçıydım, kimseye bir zararım yoktu ki, ben işlesem işlesem düşünce suçu işlerim. Hitler de bir sanatçıymış ama ben onu cinayette geçemem. Elinde fener olan polis "Arabanın içinde kitaplar var, biri battaniyeye sarılmış uyuyor" dedi.

"Neyse adamın başına ekşimeyelim şimdi, uyusun uygunsuz bir şey yok, fuhuş muhuş yok hadi gidelim." dediler ve arabaya binip uzaklaştılar.

Gittiklerinde öyle bir rahatlamıştım ki sanki çok uyumuş gibi zinde bir şekilde hemen kalkıp kontağı çevirdim ve anında oradan uzaklaştım. Eminim biraz sonra gelip tepegözleriyle beni tekrar kontrol ederlerdi.

Ve yollar apartmanların arasına sokulurken, ben uykunun koynuna girerken ucuz atlatılmış bir gece daha bitiyordu.

Bazen benzin istasyonlarına giderim şöyle en büyüğünden. Bir köşeye sığınıveririm marketten bir şey alacakmış gibi bir çay içerim ve acı bir kahve. O saatlerde kahve değil zift bile içseniz uykuya olan derin hasretinizi bölemez.

İşte, arabada yattığın gibi uyuyacaksın yoksa kıpırdanırsan pompacısı, büfecisi gelir tip tip bakarlar genelde bir şey demezler ama rahatsız olursun.

Uzanmışken kamyoncusu, otobüs yolcusu geçer yanınızdan, uyuyormuş gibi yaparsınız, uyumadığınızı bilirler, siz de onların sizi izlediğini bilirsiniz ve gece geçer gider…

Arabanın bir kuytusuna kafanı sıkıştırıp tavana gözlerin dikilmişken, etrafında birilerinin dolaşması çok rahatsız edicidir ve o sesler istasyona girip çıkan arabaların sesleri, tıkırtılar, konuşmalar ve sen saklanırsın.

Bazen bir bağırtı kopar, feryat figan topuklu ayakkabı sesleri kafatasına batar gibi yaklaşmaktadır. Çığlık çığlığa koşan iki travesti gelip senin arabanın arkasına saklanır.

Kalbin göğsünden çıkacakmış gibi atmaya başlar. Korkunç böğürtülerle arkalarından gelen iş ortakları veya müşterileri küfür kıyamet onların peşindedir. Arabaya tutunurken tırnaklarının gıcırtısı gelir kulaklarına.

Kalkıp kontağı çevirip gazlamak istersin. Ama sarhoş ağızlarından kustukları küfürlü gürültüden korkarsın. Sonra uzun bekleyiş biter.

Topuklu, kürklü erkekler küfürler ederek uzaklaşırlar, biraz nefes alırsın ama uyku yok. Artık sabah olmak üzeredir herhangi bir yerde sızarsın ve bir gece daha biter.

Bitmeyen gece olmaz her gece biter ama sabahlar olmaz. Her şey geçer ama bir türlü sabah olmaz.

Başka bir gece bir merdivenin başında bükülmüş bir gölge gördüm, gölgenin sol tarafı hareket ediyordu... Arabadan inip şöyle bir hava alırken bir yandan da gölgeyi izliyorum. Sokak lambasının görmesine izin verdiği kadarıyla, elindeki şırıngayı dirseğine batırmaya çalışıyor. Kolunu bir lastikle iyice sıkmıştı.

Ön tarafta delinmemiş damar kalmadığından dirseğinde arıyordu mutluluğu. Bir arabadan sökülmüş yan aynanın yansıması yardım ediyor ona, belki de gördüğü son dost.

Arabaya geçip biraz uzanıyorum çivili tahtada. Beş dakika sonra doğrulduğumda, ağzında salyalarla bayılmış sokaktaki adam. Şırınga kolundan asılı kalmış, aşağı doğru sallanıyordu.

Bir başka gece uyku ile ayıklık, koltukla el fireni arasında sıkışıp sarkmışken birini fark ettim. Yarı baygın gözlerimle hayal gibi bir karartı şoför kapısının önünde duruyordu.

Arkası dönük hareketsiz duruyordu. Ben de hiç hareket etmeden onu izliyordum. Zaten hareket edemeyecek kadar yorgun ve uykuluydum. Dışarıdan görünmemesi için arabayı loş ışıklı bir yere çekmiştim ve o da beni görmemişti.

Dışarıdaki kısa boylu adam bir süre sağa sola baktı ve yavaşça arabaya doğru döndü. Takır tukur sesler çıkararak şoför kapısının camında bir şey sokmaya çalışıp, anahtar deliğini zorluyordu.

Mevzu arabam olunca uykum birden açılı verdi, darma duman saçlarla ve uykusuz çökmüş bir suratla hortlak gibi dikiliverdim ön koltukta.

Avazım çıktığı kadar "Noluyooo lan burada, defol git ^'1/&&⊗:0?!!x()⊗(+é…..!" diye bağırdım.

Hırsız öyle bir korktu ki, ben de onun korkusundan korktum. Yüzü genişleyip, ağzı yırtılacakmış gibi açılarak gözleri yerinden fırladı.

"Allaaaah bu ne laan!!!" diyerek çığlık çığlığa geriye doğru sıçradı.

Arkasındaki demir parmaklıklara takıldı ve bahçenin içine yuvarlanıverdi. Ayağa kalkıp deli gibi bağırarak koşmaya başladı. Adamın bağırtılarından ben de korkmuştum.

Hemen kontağı çevirip gazladım. Ben giderken gürültüden uyanan apartman sakinlere ışıklarını yakarak beni uğurluyordu. Yer İstanbul saat gecenin dördü bana artık bütün ışıklar yeşil...

Bir gecenin sokakta huzurlu geçirilmesi için yer, zaman ve mekân çok önemlidir. Elit bir mahallenin gözlerden uzak ama güvenli bir kuytusu olursa, mevsimlerden ilkbahar ve arabanızın koltuğu arzulu bir sevgili gibi uzanırsa, evinizdeki kadar huzurlu olmasa da sabahı bir şekilde edersiniz.

Gecenin çizdiği o şekiller duvarlardaki, çatlaklardaki şekiller, gecenin fırça darbeleriyle gölgelerin boyadığı inanılmaz duvar resimleri. Kimisi şapkalı bir adama, kimisi uzun saçlı bir kıza, pipo için bir çocuğa benzer.

Koca burunlu kel bir adama, uyuyan bir kediye, büyüyen bir bebeğe, bastonlu koşan bir dedeye, zıplayan bir nineye, uçan bir ineğe benzerler. Oturup çizesi gelir insanın ama gecenin dördünde arabanın içinde artık insan değilsinizdir.

Sonra bir kaçış daha, 24 saat koruması olan bir otelin önü. Gerçi o güvenlik seni kovmak için de güvenliktir. Çaktırmadan yanaşıp koltuğu yatır ve hemen uyumaya çalış fakat otel giriş kapısına biraz uzak durmakta fayda vardır.

Çünkü girişler saat sabaha karşı dört bile olsa yoğun olur. Gelen giden bitmez, fahişelerin mesai bitişidir bu saatler, sabah altı uçağına yetişecek iş adamları da geçebilir yanından veya uyku tutmamış bir resepsiyon görevlisinin voltasına takılabilirsin.

Ve saklanırsın, bir ayağını torpidonun altına, diğerini de gaz pedalının altına sokarsın ve biraz da olsa yatağındaymış hissi uyanır. Birkaç denemeden sonra kafana bir yer bulursun minik yastığının da desteğini alarak.

"Eyvallah, artık bu saatten sonra yer beğenmemek yok!"

Derken yine çatallı, korkunç bir ses... Erkek gibi gür, korkusuz kadın sesleri bunlar, harbi kadın. Yan arabanın kaportasına vuruyor biri küfür ediyor, yanındaki iş ortağı olmalı. Muhakkak alacak verecek meselesidir. Otel önü olduğu için güvendeyim ama arabanın kuytularına daha bir gömülüyorum.

Arabaya vuran hayatından memnun olmayan bir hayat kadını, otelin önünde birilerine bağırıyor, ne korkunç bir ses... Gecenin kadınları erkekten daha kuvvetlidir. Sonra gidiyorlar ama senin içine bir kere korku düştü orda uyumak mümkün değildir artık.

Artık bıkkınlıktan tıkmak istiyorum kendimi koltuk arasına, torpido gözüne, kül tablasına. Şöyle erisem yamuk yumuk bir şey olup şu aptal arabanın bir yerlerine girsem, uzansam el firenin üzerine lağımda olsa bir delik bulsam, artık uyusam...

Çok sıkışınca bütün uykuna rağmen yatağından kalkarsın ya, aynen öyle tekrar çıkarsın yollara.

Bugün yolda uyuyacağım herhalde derken, karşına bir işkembeci çıkar 24 saat açıktır ve sarhoşların, sabahçıların vazgeçemediği bir uğrak yeridir.

Onlar ayılmak için ben ise bayılmak için buradayım.

Bari burada uyuyabilsem deyip uzanırsın şoför koltuğuna ve genelde kimse bir şey demez seni fark etmezler bile. Sonra birden uyanırsın bu sefer seher vaktidir. Ezanlar okunur sanki yalnız sana. İşkembe içmiş sarhoşların işkembeden muhabbetlerini dinlersin. Ve yine uyuyamazsın.

"Off ya Rabbi! Züppe arkadaşım deniz kenarında çilingir sofrası kurmuş alem yapar, son model arabası ona hizmet eder ve geceyi açıktaki teknesinde başka alemlerde geçirir. Bense şu külüstürün bazasız yatağında, uyumayı bırak sabah olsun ona bile şükür ederim. Adalet mi bu?" derim tövbe istifar ederek.

Bilirim Yaratan sanatçıyı sever ve onlara ruhundan biraz fazla üflemiştir ama çoğu uyuşturucu, kibir ve sinir belasına sapıp isyan ederler.

Ben de bazen yoldan çıkıp, biraz efkâr ve biraz isyan ederim ama bilirim; başı da sonu da odur yaşanan her şeyin.

Ve saat beş, eh bir yarım saat uyumuşsun ne güzel. Sabah ezanını duyduysan sonrasında hava aydınlanacak demektir. Gecenin en güzel anının huzuruyla, biraz daha uzanırsın, ezan seslerinin yedi tepeye uzandığı gibi...

O pis, yorgun ve günahkar halinle camiye gidip arınmaya yüzün olmaz. Ama ezanı dinlemek bile korkuyu, uykuyu, kiri, pası, sazı, cazı ilahi bir meltemle sıyırıp atar bedeninden.

Uyandığında güneş doğmuştur ve uykudan bir saat daha çalınmıştır. Her yerin ağrır, arabanın bütün kıvrımlarını bedeninde hissedersin. En zoru da bedenini saran yapışkan, nemli bir tabakadır ve korkunç bir yıkanma isteği.

Güneş bulutların izniyle ışınlarını suratına çarparak gecenin çamurunu yıkar. Ağzın gibi buruşur suratın, aynalara bakamazsın.

Ama mutlusun! Artık gecenin karanlığında saklananlar yok, kavga gürültü korku yok, bir suçlu gibi saklanmak yok, herkes seni izleyen gece ajanları değil, kıçına batan

emniyet kemeri, her yerini ağrıtan yatış pozisyonun hala devam etse de şöyle koltuğunu doğrultup güne bakarsın ve şöyle dersin: "Ne geceydi be kardeşim!"

Ve bu tecrübeler elit mahallelerin arka sokaklarının arabalı geceler için en uygun yerler olduğunu öğretti bana. Fazla penceresi olmayan, geniş bahçeli sosyetik sokaklar ünlü gece kulüpleri gibi gelir sana. Onlar viskiden sen yorgunluktan sarhoş, geceler gelir geçer arabanda...

İki arabanın arası, dümdüz bir duvar, kenarları ağaçlı bir köşe, hem gölgedir hem serin bir yatak. Ana caddelerin gürültüsünden uzak, hem sakin, hem de sessiz ve güvenlidir burjuva mahalleleri. Göze batmayan, sessiz sakin bir Tanrı misafiri olursan iyi bir ev sahibin var demektir.

Ve işgüzar bir belediye görevlisi beynini kazırcasına hatır hutur sokağı süpürür, oysa sokak senden daha temizdir. Süpürgesinin hışırtısından şikayet etmeden uyanırsın artık sabah olmuştur.

Gündüz olunca; gece timsah sandığın şeylerin kediler, arabanın arkasındaki gölgenin elektrik direği, balkondaki beyaz saçlının çamaşır, tependeki baykuşun bir çalı kuşu olduğunu görürsün...

Güneş doğduğunda ve sen uyandığında artık gecenin korku, stres ve endişeleri kalmaz. Bu rehavetle gece bir türlü gözlerine girmeyen uyku birden göz kapaklarına tonlarca bir ağırlık gibi asılır.

İnanılmaz derecede uykun gelmiştir ve uyuyan milyonlar uyanmış arabanın sağından solundan geçmektedir. Ama artık meraklı bakışlar ve hiçbir şey umurunda değildir, saatini kurar ve uyursun.

Çelik dostuma ve geceyi gündüze çevirene şükürler olsun, bir gece daha bitti... Şimdi arabamın elini yüzünü yıkama ve karnını doyurma zamanıdır. Ben de yıkanacak bir yağmur ya da bir istasyon lavabosu bulmalıyım veya bir AVM, bir sabahçı pastanesi, gerisi Allah kerim.

Bazen de arabada yatmaktan usanıp başka mekânlarda gömersiniz geceyi sabahın kuytularına. Bu bazen sabaha kadar Bostancı-Taksim minibüslerinde muavinlik yapmak gibi olur. Bazen İstanbul–Ankara treninde git gel yapmak başkente...

Trendeki uyku evini aratmaz ve sabah Haydarpaşa Gar'ında Boğaz'la buluşursun. Ankara sadece son ve ilk duraktır, dönüş hep İstanbul...

Araba, minibüs veya şehirlerarası trenler, dört duvar, penceresiz bir otel odasından her zaman daha iyidir.

Her şey sanat için mi yoksa para için mi bilmem ama bir geceyi daha yenmiştim. Gece, gündüzün kirini örter ama gecenin kendisi karanlıktır. Bu yüzden sevmem geceleri.

Şimdi yeni bir gün olsun, varsın yaşamak zor olsun, güneş varsa hayat güzeldir.

Her şeyin sonunda ayaklarını uzatarak yatabilirsen evinde, anarsın şükrederek yaratanı. Sarıp sarmalanırken pamuklu çarşaflara en samimi dualarla kapanır rahat bir uyku girmemiş gözlerin. Yatakta kayarcasına uzanıp, kafanın yastığına gömülmesi ile batarsın uyku denen derin kuytuya.

Hepsinden önce pamuk ellerle köpürtülen ve saatlerce süren bir banyo daha bir cilalar beyninin ve bedeninin keyfini. Cennetin provasını yapmaktır bu henüz ölmeden ve her şeyin kıymetini bir başka bilmektir.

Yolların asfaltı gibi zift karası gecelerde sabahları bekledim. Her yerdeydi karanlık, vurdum fırçamı yerlere bir oldu. Uyudum, uyumayanların kaldırımlarında ve ilhami ilahiyi aradım sabah ezanlarında...

Son gün İstanbul'dan Anadolu'ya dönerken ve bacak arasına sıkıştırılmış bir battaniye ile ısınmaya çalışırken sabahın ayazında, radyo haberlerinde şöyle diyordu:

"Bodrum Yalıkavak'ta deniz kenarında Suriye'li bir iş adamını kızı ölmüş halde bulundu ve aynı gün Ayvalık'ta bir dere kenarında tatil yapan iki genç kızın parçalanmış cesetleri bulunmuştur. Polis katili bulmak işin Türkiye çapında arama başlatmıştır."

İşte ben; yazar, çizer, gezer; iyi kalpli bir seri katil ve ben Arabalı Sokak Çocuğu...

İyi Kalpli Seri Katil (DORİNA)

Gece gündüzün pisliğini, gürültüsünü, karmaşasını örter ama gecenin kendisi karanlıktır, pistir, korkunçtur, iğrençtir, ahlaksızdır. Bu yüzden sevmem geceleri. Fakat karanlıkta yaşamak zorundayım. Benim için iş, aş ve aşk hep gece vardiyalarında yaşanır.

Aslında gece hayatım yoktur, yani diğerleri sabahlara kadar eğlenip kurtlarını döküp sarhoş olup sızarken ben çalışıyorum. Sabahlara kadar karanlık kuytu köşelerde ekmeğimin peşindeyim. Ama olsun, onlar sabahın köründe kalkıp stresli mesailerine giderken ben öğlene kadar yatıyorum.

Gecenin karanlığında saklanır ve sessizliğinde dinlerim ayak tıkırtılarını. Kurbanlarım benden habersiz dalgın dalgın yürürler karanlığın içine doğru. Kimisi yuvasına gider, kimisi işine, kimi de benim kollarımdaki eceline…

Karanlığın dibinde ki kuytu bir köşede, çalı çırpı arasında, saçakların altında, onları saatlerce beklerim. Hiç kıpırdamadan, nefes almadan ve hiç düşünmeden saatler geçer. Kurbanlarım dalgın dalgın dalarken karanlığın dibine, gözlerim bir anda yıldırım gibi çarpar onların suratına.

Bir saniyede boğazlarım onları ve birkaç dakikada paramparçadır bedenler. Uzun, sessiz ve pis bir gece daha biter, eğer şanslıysam kan ve et ile şişmiş midemi kaşır ve sabahın güneşinden saklanırım. Artık gün doğmaktadır, uyuma vakti gelmiştir.

Rüzgârın çöp varilinden düşürdüğü kola kutusunun metalik tıkırtısıyla gözlerim açılıverdi. Enfes çürük meyve, küflü ekmek, yanık plastik, dışkı, çamaşır kokularını ciğerimin diplerine kadar çekerek doğruldum. Sabah mahmurluğunu atmak için bütün vücudumu bir yay gibi gerdim. İlk aklıma gelen akşam yenen ağır yemeğin ekşi pişmanlığını hafifletmek için su içmekti.

Sonra güneş gören bir yerde boylu boyunca uzanırım, bir de altımda bir tahta veya bir karton oldu mu keyfime diyecek yoktur. Vücut ısımı arttırıp güneş banyosundan çıkarım ve biraz çamur biraz da tozla vücudumu bir yerlere sürtüp kaşınarak durulanırım. Artık güne, daha doğrusu geceye hazırım demektir.

Dilimle sakallarımı şöyle bir silip, yere atılıp buruşturulmuş plastik su şişesinden içmeye başladım. Daha sonra sokak köşesindenki çöplüğüme geri döndüm. Ortalıkta kimseler yoktu. Ağır adımlarla yürüyüp çöp bidonlarının arkasına uzanıverdim.

Gece işini bitirdiğim kurbanımdan kalan kol parçası burnumun ucunda duruyordu. Etlerini kemiğinden dişlerimle sıyırıyordum. Bu kahvaltı keyfinden sonra kollarımı büküp yastık yaparak miskin miskin yatmaya devam ettim. Yani dün gibi sıradan bir gündü.

Sokakta yalnız yaşamak, bir kurbanla boğuşup onu öldürmek, binbir türlü heyecan, aksiyon, korku, adrenalin, merak, tutku, hırs, zevk bunların hepsi bir yana en sevdiğim şey iki çöp tenekesi arasından insanları izlemektir.

Onlar geçer yağmur gibi, sokağı aşındıramayan bir insan seli geçer ve birini seçerim onu izlerim gözden kaybolana kadar. Sonra birini daha yakalar gözlerim, sokağın sonuna kadar izlerim karıncaları takip ettiğim gibi bu dikizleme gün boyu sürer.

İnsanlar geçer yüzlerce, binlerce hepsi birbirinden değişik, binlerce hayat geçer ben izlerim. Sokak bu devasa yükü taşır ama asla değişmez, aşınmaz insanlar kazmayı vurmadıkça...

Telâşlı, uyuyan, sallanan, elleri cebinde, burnu dik mini etekli, kapkara, kabadayı, jilet gibi dimdik, debelenir gibi yürüyenler, sakin nur yüzlüler, sallananlar geçer, mahşer yeri gibidir sokak, kiminin yüzünde bir tebessüm, kimi ise puslu kapkara suratlıdır, hepsini akıbetini görürüm.

İnsanlar ve ayakları geçiyordu, çizmeler, sivri topuklar, terlikler, yalın ayaklar... Kimisi pislik içindeki vücuduma ve kıl dolu suratıma bakıyordu. Kimisi acıyarak kimisi gülerek... Ben ise dünyadan izole kendi çöplüğümde hayatımdan memnundum.

Birçok insana göre vahşi, iğrenç, pis bir hayatım var. Ama ben sadece işimi yapıyorum, işverenim Yaratan'ın bana emrettiği işi yani doğamın gerektirdiğini yapıyorum. Esasında medeni görülen hayatlarındaki maskelerinin altında, benden çok daha iğrenç ve aşağılık bir şekilde yaşayan onlar.

İnsan evrendeki en değerli varlıktır ama öğle şeyler yapar ki hayvandan farkı kalmaz hatta daha da aşağılık olur. Hırsızlık, arsızlık, tecavüz, çocuk istismarı, birbirinin kanını içme, yalan, dolan, riyakarlık ve münafıklık onlarda... Çoğu davar sürüsü gibidir hatta daha şaşkın. Böyleyken ben miyim seri katil?

Bazen böyle, hep kendime yontarak, vicdan muhasebesi yaparım. Nasıl olsa savcıda benim suçlu da benim, asan da benim kesen de benim. Uzun yıllardır yalnız yaşayan bir katil olunca yemesi, içmesi, gezmesi, nefes alması bile tek başınızadır...

Miskin, serseri, berduş hayatımı sokakta geçiriyordum. Sokak şartlarına artık alışmış olsam da bazen dayanılmaz soğuk oluyor ve bende çareyi bankamatikerin klimalı ortamında kıvrılıp yatmakta buluyorum. Birkaç kurbanım da oralara gelen gece ziyaretçileri olmuştu.

Öldürmek kafanızdan, parmak ucunuza kadar keskin, çekici ve lezzetli bir duygudur. O kadar da zor bir iştir. Bir parça but, kan, dalak, böbrek tırnaklarınızla kazandığınız bir ödüldür. Başarılı bir seri katil aynı zamanda zeki, sinsi, çevik ve çekici olmalıdır.

Hava karardığı gibi o dayanılmaz dürtü yine tüm bedenimi sarmaya başlıyor kan ve et tutkusu. Sanki geceleri daha iyi görüyor ve duyuyorum. Gözüm dönüyor hareket eden her şeye saldırmak istiyorum.

Gecenin içinde sessiz ve hissiz yürürüm. Gece kadar karanlık, kaldırımlar kadar sessiz ve soğuk kadar acımasız olursanız, bir Tanrı misafiri, yolunu kaybetmişler, uykusu kaçmışlar mutlaka yemeğiniz olur.

Büyümüş göz bebeklerim gündüz kadar iyi bir görme yeteneği sağlıyor. Işığın değmediği, gecenin ne kadar karanlığı varsa hepsine dalıp çıkıyor ve gelecek kurbanımı arıyorum.

Ve onlardan biri çıkmaz bir sokakta önümde ilerliyor ona arkasından yaklaşıp boğazlıyorum ve nefes alamadan parçalarına ayırıp yuvama götürüyorum.

Kurban ne kadar debelenirse o kadar çok keyif alıyorum işimden, kendini teslim edene kadar daha da çok sıkıyorum boğazını. Kan tutkum tatmin oluyor ve sakinleşiyorum. Afiyetle tüm etlerini sıyırıp karnıma dolduruyorum.

Her saldırım başarı olmuyor tabii ama dört saldırıdan en az ikisinde kurbanımı mideme indiriyorum. Bazen kurbanlarım benden zeki veya hızlı olabiliyorlar o zaman haklarını veririm ve peşlerini bırakırım.

Her zaman kurbanımı öldürmesem de eğlenmem garantidir. Her saldırı bir tecrübedir ve eğlenceli bir oyun veya spordur benim için vahşi ve acımasız bir spor. Sağlıklı ve tok olmak sokakta yaşayan biri için en büyük zenginliktir.

Buralarda yatınız, katınız, spor arabanız olmaz. Bir karton kutu, temiz bir bank, bir saçak altında yaşar ve işe yalın ayak gidersiniz. Nefes almak, hayatta kalmak bile başlı başına bir iştir. Ama ben hiç boş durmam, canlı kalabilme işini hallettikten sonra sürekli düşünürüm ve her zaman yeni bir iş ve oluştayımdır yani yeni kurbanların peşinde...

Kurbanları şanslıdır, onlar her şeyi yiyebilirler ben ise sadece at yiyebilen bir yamyamım yani aslında onların geçinmesi, yaşaması daha kolay. Et ana yemeğimdir ama aşırı yediğim kanlı mangal partilerinden sonra çok nadir de olsa midemi rahatlatmak için ot yiyebilirim.

En büyük zevkim ise midemi doldurduktan sonra saatlerce miskin miskin yatmaktır. Bunun için bir sokak köşesi, bir apartman girişi, kafelerin boş koltukları en konforlu yerlerdir. Oralara gidip yılan gibi kıvrılıp yatarım. Biri gelip kovana kadar ya da biri acıyıp önüme yiyecek bir şeyler atana kadar dünyanın kralı benim.

Bunun yanında yattığım yer mutlaka manzaralı olmalıdır. Bir şeyleri izlemeden duramam. İnsanları, karıncaları, arabaları, gemileri mutlaka bir şeyleri izlemeliyim. Uyurken bile hayatın hareketinden uzak kalmamalıyım. İşte benim de gece hayatım bu; herkes yürürken ben uyurum...

İşte günlerim böyle gelip geçiyordu. Sokakta hayat zorludur, sadece güçlü olanlar yaşar ve en az benim kadar acımasız olanlar... Hayat her zaman size lezzetli menüler sunmaz.

Bir kurban bulmak biraz şans, çok fazla dikkat, hız ve enerji gerektirir. Kendimi yeni bir kurban yakalamak için yeterince iyi hissetmediğimde lokantaların atıklarını yerim.

Bazen de bizim zengin mahallenin çöp tenekelerinde, yarısı bile yenmemiş tavuk butlarını, balık ve mangal keyfi artıklarını yerim. Ama canlı bir kurbanı yakalayıp boğazlamak kadar keyifli ve leziz bir öğün asla olamaz. Emek verilmiş yemek hep daha tatlıdır.

Performansımın düştüğü, taze et ve sıcakkan bulamadığım zamanlarda hayırseverlerin ikramları ve bazen de onların kendileri yemeğim olur. Aslında nankörlük benim doğamda var, benim işim bu! Özellikle kışın kar yağdığında deli gibi acıkırsınız ama iyi kalpli bir tek enayi bile bulamazsınız sokaklarda.

Böyle durumlarda vejetaryen iğrenç bir diyete başlarım. Ot, gül, gonca, lale ne varsa mideye indiririm. Bazen de fakir mahallerin çöplüklerindeki kırıntılar, makarna, ekmek, lahana, soğan ve binbir çeşit bozulmuş yemek beni hayatta tutar. Yemek, içmek ve yatmaktan ibaret bir hayatım olsa da bunların hepsi yaşamak için ve hayatta kalmak bile ince bir sanattır.

İyi kalpli bir seri katilsen gözün, kulağın ve kalbin açık olmalıdır. Ancak bu şekilde yüzlerce ölüye rağmen, sevilip okşanan sevimli bir katil olabilirsiniz. Ve katil acımasız bir cani, eşsiz bir dahi olmalıdır ki polislere yakalanmadan bir ömür geçirip emekli olabilsin.

İnanması zor ama bir sürü hayranım var! Ne zaman bir köşede miskin miskin kıvrılıp uzansam biri gelip beni okşar, koklar, öper, sarılır. Hatta karnımı tıka basa doyururlar, üstüne süt bile ısmarlarlar.

Karnımı doyurup ilgi ve sevgi gösterdikleri zaman ben de onlar küçük sevimli oyunlar yaparım. Hatta arkadaş oluruz ve ben arkadaşlarımı satmam, onları öldürmem.

Bazen de tekme tokat dövülürüm, duvardan duvara çarparlar, her türlü işkenceyi yaparlar bana... O zaman çok korkarım, konuşamam, bir kuytu köşeye saklanıp günlerce dışarıya çıkmam.

Zengin mahallelerin şımarık, sadist çocuklarına yakalanırsam her türlü acıyı çektirirler bana. Üzerime basarlar, apartmandan aşağı atarlar, bisikletlerinin arkasına takıp koştururlar, azgın köpeklerin önüne atarlar, karanlık odalarda bırakırlar... Onlar da en az benim kadar katildir.

Bir evimin olmaması, bir eşimin, bir dostumun, bir arkadaşımın bile olmaması, sokak köşelerinde pislik ve ahlaksızlık içinde günahkâr yaşamak...

Bana tiksinerek, acınarak ve korku içinde bakılması her zaman içimi acıtmıştır. Tabii benim gibi acımasız bir seri katilin çok sevilen, aranan, popüler birisi olması beklenemez.

Sokakta her şey kavgadır, özellikle aşk için, eş için... Bunun için bile birkaç kişiyle ölümüne savaşmalısın. Bu yarıştır; katillerin katili olan kazanır ve eşiyle beraber olur.

Burada kimsenin birbirine baktığında kalbinin zarı delinmez aşktan. En güçlü olan, en acımasız olan üreme hakkına sahiptir. Orman kanunları dağ gibi apartmanların arasında, nehir gibi kıvrılan asfaltın üzerinde, yani sokakta da aynıdır.

Yani burada aşk üremek içindir ve sevişmenin meyvesi çocuklarınız sizin gücünüzü ve saltanatınızı gösterir. Ama benim de aşklarım oldu. Bir sürü dişiyle beraber oldum yolda, kaldırımda, ormanda defalarca...

Onlarla arkadaşlarım da beraber oldu, bazen de hep beraber yaptık. Kim bilir onlardan kaç tane çocuğum vardır. Hiçbirinin adını bile hatırlamam, çocukları görsem tanımam bile ama kokuları başkadır, onları binlercesinin içinde bile ayırt ederim.

Bizde aşk böyledir işte zevk, sevgi, şeytan tüyü, elektrik alma, hoşlanma diye bir şey yoktur. Tamamen vahşi bir üreme içgüdüsüdür. Bazen partnerin kardeşin, teyzenin kızı, halanın oğlu bile olabilir ve bunlar yadırganmaz da. Nedense bize her şey yakıştırılır, ayıplanıp horlanmayız günahın en büyüğünü yaparken.

Ama biri farklıydı, Fransız Lisesi'nin arka sokaklarında tanışmıştık, adı Dorina'ydı. Kıllı ve akıllı bir kadındı. Asil bir yürüyüşü, masmavi gözleri, kendinden emin ve zarif bir konuşması vardı. Zengin mahallenin sokaklarında yetiştiği temizliğinden, aristokrat tavırlarından, entel konuşmalarından belliydi zaten.

Kafasının üstündeki tüyler rengarenk, saçları kabarık ve upuzun fönlüydü. Asildi, zengindi, bakımlıydı ama burnu dik, kendini beğenmiş yukarıdan bakan bir tarzı yoktu. Bana ilgisini rahatça, kasmadan göstermişti.

Burnunu burnuma sürer, sonra etrafımda dolanır, tüm vücuduyla bana sürtünürdü, kokusu tam bir uyuşturucuydu benim için. Bütün gün beraberdik, gece gündüz sokaklarda, kaldırımda, çöplüklerde beraber yaşadık, hatta beraber öldürdük. Kafelerde, meydanlarda, AVM'lerde, arka sokaklarda defalarca kalabalığın ortasında seviştik.

İlk kez tek eşliydim, galiba seviyordum. Onunla ilişkiye girmenin dışında gezmek, eğlenmek, çalışmak yani öldürmek de çok keyifliydi. Onsuz hiçbir günüm geçmiyordu, ona dokunmadan, konuşmadan, sürtünmeden yalamadan yapamıyordum. Şimdiye kadar hiç dostum, arkadaşım olmamıştı, hele düzenli bir sevgili rüyamda bile görmediğim bir güzellikti benim için.

Önüme gelenle beraber olmak, grup partileri bile yapmak içimden gelmiyor, tek gecelik aşklar anlamsız, yavan şeylerdi artık. Sadece onunla olmaktan zevk alıyordum.

Bazı dişilerin kokusu beni çekse de yanımdan hiç ayrılmadığından onlara gitme ihtiyacı duymuyordum. Sadece dişi olarak hayatımda o vardı. Sokakta imam nikâhlı yaşıyorduk, sanki evli gibiydik ama kimse bilmiyordu kimse sormuyordu da zaten.

Her ilk aşk kurbanı gibi bir gün ben de aşkın acısını tadacaktım tabii. E aşkın acısı da güzeldir, katlanacaksın. Ve o gün sisli bir sabah vaktiydi. Çalıların arasına oturmuş bir bulutunun içinden inleme sesleri geliyordu. Ve gölgeler sisin için de hareket ediyordu, Karagöz ve Hacivat oyunu perdesi gibi. Hacivat kafasını aşağı doğru sallıyor Karagöz yerde yatıyordu sanki.

Sis perdesi kalkınca gülünecek bir perde oyunu olmadığını anladım. Eski bir arkadaşım ve Dorina çimenlerin üstünde, çalıların altında çığlık çığlığa sevişiyordu. Sokak gibi aşkta acımasızdır, buralarda güçten düştünüz mü, gözden de düşersiniz. Ve üremek için birileri mutlaka vardır sokakta.

Hayatımın kadınını en yakın arkadaşımla beraber yakalamıştım. Çok büyük acı çekmiştim o an, kolum bacağım çaprazlama kesilmişti sanki. Ama o an bir şair bir yazar gibi bir dinginlik bir ilham kapladı üstümü. Masum şapşal, süt dökmüş bir kedi, savaşın ortasında masum bir çocuk gibi oldum.

Öğle dakikalarca onlara baktıktan sonra beynim, elim, ayağım tutulmuştu. Sonra omuzlarım düşmüş halde bir çuval gibi acılardan bir yığın gibi arkamı dönüp oradan yavaş yavaş uzaklaştım. Onları öldürmedim!

O günden sonra sokakların en azılı, en yalnız, en pis, en kötü seri katiliydim artık. Yalnızlığı seçtim ve bazen dişilerden çok acayip cazip kokular gelse de asla onlar için kavga etmedim, onlar için koşmadım, onlarla sevişmedim, hiçbiri değmez. Kendimi işime verdim, en iyi yaptığım şeye bazen doymak için bazen zevk için öldürmeye...

Ölen bir aşkın arkasından tırnaklarımla mezarlar kazdım onun yerine ona benzeyenleri gömmek için...

Ve bu aşk beni şair etmişti herkes kadar;

Doğum sancısı gibi çığlık çığlığa

Yeni doğmuş gibi hıçkıra hıçkıra

Acısı bile güzeldi aşkın

Eğer olmasaydı,

Göz kapaklarında sakladığın

O masmavi dalgınlığın

Biz, umutsuz aşkların

İyi kalpli seri katili

Artık gönülde yer yok

Bir ileri bir geri

Seni de unuturum eskiler gibi

Seni, unuturum herkes gibi

Yıllarca sokaklarda berduşluk ettikten sonra düşünmeye başladım; benim de normal, namuslu, vicdanlı, korkusuz bir hayatım olur mu diye. Bir gün bir evim, bir ailem, içime doğru kıvrılıp miskin miskin karşısında yatacağım bir şömine, oyunlar oynayacağım atlayıp zıplayacağım bir bahçem olur mu, ya karnımı sürekli doyuran cömert bir ev sahibi?

Bunlar benim için hep hayal olarak kaldı. İmrendiğim evi, bahçesi, oyuncağı olan, karınları tok hemcinslerim hep süslü, püslü, bakımlı önümden geçip gittiler. Ben de arkalarından onları izledim. Kıskançlıktan onları bile parçalamak, boğazlamak, öldürmek istedim.

Aslında iyi kalpli bir seri katil olduğum için bir gün Allah'ın bana da hayallerime dokunma şansı vereceğini hissediyordum.

Ve o gün gelmişti:

Bir gün, pislik içinde sokak köşesinde sızmışken, saçımın içinde kımıldayan bir şeyler hissettim. Zor açılan gözlerimle ve puslu bir bakışla bir çocuk gördüm. 7-8 yaşlarında sevimli bir çocuk, biraz korkarak biraz sevecen küçük parmaklarıyla saçlarımı karıştırıyordu. Gözlerimi kızgınca açınca tedirgin oldu ve geri çekildi. Sinirlenmiştim ama ilgide hoşuma gitmişti.

Çocuk "Ay, ne tatlı şey kıvır kıvır, her yanı karmakarışık, senin adın berduş olmalı" diyordu sokakların seri katiline.

Gözlerimi kapadım ve beni sevmeye devam etti. Sonra çocuğun yanına iyi giyimli nur yüzlü bir kadın geldi ve çocuk bana bir şeyler mırıldanmayı bırakıp kadınla konuşmaya başladı. Kadının kolundan tutup çekiştirerek, ısrarla bir şeyler söylüyordu.

Derinden gelen fısıltılarla "Lütfen anne onu alalım, çok sevimli ona bakarız, sevaptır, hiç değilse biri bu pis sokaktan kurtulsun" diyordu.

Kadın bir an önce oradan uzaklaşmak ister gibi geri geri küçük adımlar atıp "Yavrum sokakta yatıyor o, in midir cin midir bilinmez. Belki de hastalık taşıyordur, bize zarar verebilir vahşi de olabilir, beni çekiştirmeyi bırak ve bu pis yerden hemen gidelim!" diyordu.

Çocuk onu kendine doğru çekerek ağlamaya başladı, kadın onu kucağına aldı ve sarılıp kulağına bir şeyler söyledi ama ağlamaya devam etti.

Onun haline dayanamayan kadın "Peki, yavrum tamam istediğin gibi olsun, hadi götürelim onu, inşallah bir hayır vardır bunda" dedi.

Daha sonra ikisi yavaşça gelip tatlı bir melodi gibi gelen sesleriyle beni kucaklayıp kaldırdılar. Hiç korkmadan, çekinmeden kendimi onların şefkatli kollarına bırakmıştım.

Ben şaşkınlık içinde parmağımı bile oynatmadan neler olacağını bekliyordum. Sokak köşesinde park edilmiş lüks bir arabanın yanına kadar götürdüler.

Beni kaldırıma oturtup bagajdaki gazete kağıtlarını alıp arka koltuğa örtüyorlardı. Daha sonra etrafa bir bakıp beni hızlıca arka koltuğa yatırdılar. Çocuk çok mutluydu, ön tarafa geçip arabayı çalıştırdılar ve yola çıktık.

Arkaya dönüp gülümseyerek bana baktı ve "Bu pis sokaklardan kurtuluyorsun Berduş. Artık senin de bizim gibi bir hayatın olacak, evimizi çok seveceksin" dedi.

Bu nazik davranışlara ve güzel sözlere alışık olmasam da hemen şımarıp arka koltuğun deri döşemesine uzanıverdim. Arabanın arka koltuğu bile padişah döşeği gibiydi, evleri bir cennet bahçesi gibi olmalı diye düşünüp iç çekiyordum.

Yolculuk yarım saat kadar sürdü. Önce ağaçların tepemizde sarmaş dolaş olduğu, gölgeli bir yoldan geçtik. Gerçekten cennet yeryüzüne inseydi böyle olmalıydı. Doğrusu pis kaldırımların yıllarca misafiri olan bir katil için bu dünyadan başka cenneti görme şansı yok!

Geldiğimiz yer yemyeşil kocaman bir bahçenin ortasında bembeyaz saray gibi bir evdi. Evin önündeki heykelli havuzun etrafından dolaşıp devasa giriş kapısının önünde durduk. Çocuğun kollarının arasında, mermer merdivenlerden eve doğru çıkmaya başladık.

Her yer cilalıydı, sütunlar, mermerler yer gök cam gibiydi. Sonra beni yere bıraktı zemin öyle temiz, öyle saydamdı ki, su zannedip ayaklarımı kaldırdım, beyaz sarayın sırça meydanında.

O anda sivri dişleri yere kadar sarkan bir pitbull korkunç hırıltılarıyla üzerime doğru ok gibi fırladı. Boynundaki kalın zincir olmasa iki parçaya ayrılmıştım bile.

O anki müthiş korkuyla kendimi merdiven korkuluklarının arasına attım, tek kolumla son anda kenara tutunarak düşmekten kurtuldum. Kıllarım diken diken olmuş zangır zangır titriyordum.

Çocuk köpeğin boynuna sarıldı ve onu sakinleştirdi ama benim kalbim göğsümden fırlayacakmış gibi atmaya devam ediyordu ve boğazım tıkanmış zorla yutkunuyordum.

Olayın şokundan çıkmaya çalışırken boğazladığım kurbanlarımın ne hissettiğini çok iyi anlamıştım.

Ama bu bende bir merhamete veya mesleğimi bırakıp tövbe etmeye sebep olmamıştı. Hatta karnım daha da çok acıkmıştı.

Ahşap döner merdivenlerden çıktık ve çatı katına bırakıldım. Çocuk bir şeyler söyledi ve beni dört duvarı ahşap, tek pencereli boş odada bırakıp aşağı kata indiler.

Bir köşeye kıvrıldım, rüzgarsız, gürültüsüz ve tertemiz. Aklımda bir düşünce bile kıpırdamıyordu. Çok huzurlu, ahenkli ve dingin bir atmosfer… Fakat çok sıkıcı, heyecansız ve yavaştı her şey.

Bir şeyler olmalıydı, birileri geçmeli önümden, bir şeyler düşmeli, kalkmalı, hareket etmeli, birileri koşmalı ben kovalamalıydım. Bu kadar hijyen, düzen, temizlik beni hasta eder. Yıllarca günde dört paket sigara içmiş bir tiryakinin orman havasını içine çektiğinde ciğerlerinin patlaması gibi.

Ne olduğunu anlamamış şaşkın şaşkın bakınıyordum. Burada rüzgâr yoktu, pis kokular da, her yer tertemiz cilalı parke. Duvarlar bile ahşap kaplamaydı.

Hatta bu kadar hijyen ve lüks ben de alerji yapmış durmaksızın aksırıp tıksırmaya başlamıştım. Devamlı etrafa bakıyordum. Çatı katı bomboştu, tam köşede duran eski ahşap bir masa, bir şövale ve masanın üstünde karalanmış onlarca kağıttan başka hiç bir şey yoktu.

Sadece duvara gömülmüş, ahşap iki dolap kapağı görüyorum. Yaklaşıp onu yokladım. İlk başta yuvarlak metal kulpları dönmüyordu ama birkaç dakika uğraştıktan sonra kapaklar açılıverdi. Kapkara bir boşluk gördüm. Sonu, sağı, solu, dibi belli olmayan bir karanlık.

Merak ettiği her şeye saldıran, kurcalayan, bozan, patlatan haylaz bir katil olsam da içeri girmeye cesaret edemedim. Ama ilk aklıma gelen şey parçaladığım kurbanlar için iyi bir depo bulduğum olmuştu.

Dolabı kapatıp bir köşeye çekildim kollarımı başımın altına alıp uzandım. Biraz sonra çocuk içeri girdi, bir elinde tavuk parçaları olan bir tabak, bir elinde de bir kase süt vardı.

Önce hiç hareket etmedim ve onu izledim. Yemeğe saldırmadığımı görünce beni okşamaya ve ninni gibi gelen yumuşak sözler söylemeye başladı. Ben kendimi kasarak inadına yemeğe yaklaşmıyordum. Aslında öyle açtım ki onu bile canlı canlı yiyebilirdim.

Ama ben sokakların adamıydım, pis, katil, acımasız, günahkar ve her zaman özgür... Yani ben ne zaman neyi istersem nasıl istersem öyle yaparım o kadar!

Odadan çıktığı gibi ağzımla birlikte kafamı tabağa daldırdım. Tavukları birkaç dakikada yedim ve süt Tanrı'nın bir lütfuydu sanki.

Sonra fazla kaçırılmış bir yemeğin rehavetiyle uyumadan önce kafamı uzatıp odanın tek penceresinden bahçeyi izledim. Büyüleyici huzurlu bir manzara her yer yemyeşil santim santim işlenmiş bir bahçe, uzun tek tip koyu çam ağaçlarıyla çevrelenmiş.

Bahçedeki tüm bitkiler sanatçı ruhlu bir bahçıvanın makasından geçmiş gibi insan yüzleri, bisiklet, araba, gemi, uçak şekilleriydi.

Ortadaki havuz iki dağ arasında kalmış bir krater gölü gibi yeşilliğin içine gömülmüş doğal bir ahenk içindeydi. Bahçede dolaşan silahlı adamlar ve suratı asık kocaman köpekler dışında manzara kusursuzdu.

Keyifli bu öğle yemeğinden sonra miskin miskin yatıp göbeğimi okşayarak kestirdim. Sonra beni alıp banyoya götürdüler. Tırnaklarımla küveti kazıyarak verdiğim kaçış mücadelesi işe yaramadı. Güzelce köpük köpük yıkadılar, huysuzluğuma rağmen bitmeyen bu ilgi ve alaka harikaydı.

Artık üşümüyordum, aç değildim, temizdim ve bir yuvam vardı. Ve en güzeli de düşünmüyordum hiçbir şeyi… Onlar benim yerime düşünüyordu ve çok mutluydum çünkü cahillik mutluluktur.

Bunlar günlerce böyle devam etti. Düzenli yemeğim geliyor ve sürekli sevilip okşanıyordum.

Hayat çok güzeldi, yaşamak çok güzeldi ama içimdeki o katil, öldürme tutkusu hepsinden daha lezzetli geliyordu. Kansızlıktan dilim damağım kurumuştu. Günlerdir şöyle balıketli bir kurban boğazlayıp da kanını içememiş, etlerini kemiklerinden sıyırmamıştım.

İşini çok seven ama emekli olmuş bir kasap gibi hissediyordum kendimi. Kendime bir hobi, uğraş yeni bir heyecan bulmalıyım. Yoksa karşıma ilk gelen canlıyı paramparça edip mideye indireceğim!

Yaşadığım bu rüya gibi hayat içimdeki katil dürtüsünü durduramazsam kabusa dönüşebilirdi. Yine o pis sokak köşelerindeki demir parmaklıkların arkasına dönebilirdim.

Geceleri evde dolaşıyor ve onları izliyordum. Onlar uyurken ben başlarında dikilip kokularını çekiyorum ciğerimin dibine kadar. Bazen dayanamayıp derilerini yalıyorum, uyanıyorlar ve beni okşuyorlar başlarına gelebileceklerden habersiz.

Bazen onları küçük parçalara ayırıp yemek istiyordum ama yaptıkları iyilikler benim gibi acımasız bir katili bile yumuşatmıştı.

Kaç kez niyetlensem de onların kanını içmeyi başaramamıştım. Nasıl olsa karnım düzenli doyuyordu. Hele karnımı doyurduktan sonra benimle sevimli konuşmaları ve

Lütfen, kuyruğuma basmayın!

saçlarımı karıştırıp okşamaları yok mu doyulmaz bir keyif...

Zamanla evcil, kendi halinde yiyip içip yan gelip yatan biri olmuştum. Dünya yine aynıydı ama benimkisi değişmişti ve çok mutluydum. Karnımı doyurduktan sonra çatı katındaki pencerenin kenarına uzanıp bahçeyi izlemek, bazen de ahşap pencerede tırnaklarımı törpülemek ve pencereden içeri giren temiz havanın ferahlığı...

Ve çatı katındaki gizli karanlık odam, orayı henüz cesetlerim için bir depoya çevirmedim ama her şeyden uzaklaşıp dinlenebildiğim serin bir mekan oldu.

Sanki altından ırmaklar akan cennet bahçesi burasıydı. Sokaktaki seri katil gitmiş yerine bir melek, ev sahibinin sevimli bir maskotu gelmişti.

Zaman zaman aldıkları ucuz kedi mamaları midemi bozsa da dolaptan aşırdığım pastırma ve kıymalar bunu telafi ediyor.

Ben yani karanlık pis sokakların, lağım farelerinin azılı düşmanı, artık iyi kalpli bir seri katil olmuştu. Darısı tüm sevimli kedilerin başına...

Karıncalar

Saat sabahın 07.00'si… Çalar saat kulağımın içini tırmalamakta. Birkaç 'sen kapat o çalsın, sen kapat o çalsın' döngüsünden sonra, göz kapaklarım gıcırdayarak açılıyor. Yarı uyuşmuş beynim uyku narkozundan çıkmakta ve birkaç dakika sonra gerçek hayata, stres ve karmaşaya doğru kapılarımı açıyorum. Araba kornaları ve yukarıdaki dairede kırılan bardağın sesi beynimi tokatlayarak kalan son uyku kırıntılarını da üzerimden aldı.

Bir gün daha doğuyor ve diriliyor insan yarı ölü halinden. Perdelerin müsaade ettiği kadar sabah güneşi soğuk tenime dokunuyor, sabahları dondurucu öğlen oldu mu yakıyor. Bir dün daha bitti yeni bir gün bu; heyecan, korku, stres, mutluluk, umut ve endişe dolu bir gün.

Kendi kendime, çatallı günaydın sesiyle 'Yeni günler, hepimize yeni günler' diyorum.

Yeni gün neler getirir bilinmez ama iyi bir kahvaltıda mutluluk garantidir. Çocukluğumdan beri kahvaltıyı çok severim. Hatta geceleri yatmadan önce, 'Allah'ım lütfen bir an önce uyuyalım, sabah olsun da kahvaltı yapalım' diye dua ederdim.

Tabii şimdilerde annemin hazırladığı önüme hazır gelen kahvaltılar yok. Ama ben yalnız bile hazırlasam kahvaltıda mutluluk vardır.

Çelik, cam ve betondan oluşan gökdelen denizinin ortasında, bir mercan adasında yaşıyorum tek başıma… Manzarası harika olan küçük bir çatı katı, aslında beş katlı bir apartmanın tepesinde bir bahçe katı da diyebiliriz.

Her tarafını asmalarla, sarmaşıklarla kaplattım, bahçesi ise beton üzerine gerçek çim kaplama, taş yolları ve küçük bir pınarı bile var. Etrafımızdaki yüzlerce katlı dev beton yığınlarının içinde, tek katlı, bahçeli, müstakil bir ev gibidir bizim apartman.

Çocukluğumdan beri o Amerikan filmlerinde gördüğüm gökdelenlere, onların heybetine, kusursuz geometrilerine, parlayan yüzeylerine hayran olmuşumdur. Ama büyüyünce ve onların arasında sıkışıp kalmış bir şehirde yaşayınca, o çok sevdiğim uzun binalar penceremdeki hapishane parmaklıkları gibi olmuştu. En acısı da, bu dev gibi binaların çoğunda benim de imzamın olması, çünkü ben bir mimarım.

Yeşili, doğayı çok seven bir mimarım ama sıkışık şehirlerde ve rant bölgelerinde gökyüzüne yükselmekten başka bir yol yok ve benim geçinmek için başka bir işim de yok. Bazen klasik arabama atlayıp son sürat ayrılırım şehirden. Eskizleri, çizimleri fırlatıp yol kenarına ormana, dağlara ve

karıncalara giderim onlarla konuşurum, sarılırım, koklaşırım.

Pelteleşmiş kaslarımı zorlayarak yatakta doğruldum. En sonunda yatağın kenarına kadar ulaşmıştım, ayaklarımı yere uzatıp terliklerimi giydim. Gece yatağa girmeden önce yorgunluktan rasgele yere savurduğum gömleğime doğru eğildim. Gömleği kaldırır kaldırmaz, altında duran daire şeklindeki karartı sanki beni birden içine doğru çekiverdi.

Sanki kara bir tünel açılmıştı da alt daireye doğru uzanıyordu. Şöyle ayağımı üzerine bassam alt dairenin tavanında sallanacaktı. Bilim kurgu fantastik hayranı olan biri olarak aklıma binbir türlü felsefik fantastik kurgu geliyordu. Belki de bu gördüğüm bir kapıydı başka âlemlere, uzaya, geleceğe açılan bir kapı. Ya da beni merkezine çekip uzayın bir yerine fırlatacak bir kara delik…

İşte ilk bakışta anlam verememiştim, bir sürü saçma düşünce daha yeni uyanmış beynimi tokatlıyordu. Sonunda anladığım tek şey bu bir rüya değil gerçeğin ta kendisiydi.

Sağa sola baktım, pencereden dışarı, tavana baktım kendimi tokatladım hayır, asla uyumuyordum. Gözlerimi ovuşturup tekrar baktığımda karartı hareket ediyordu, bir şeyler kaynıyordu.

Daha dikkatli baktığımda, binlerce karıncanın yarım metre çapında bir daire oluşturup kaynaştığını fark ettim. Şoka girmiştim. Binlerce karıncanın benim odamda böyle kusursuz bir daire oluşturmuş şekilde ne işi vardı?

Karıncaları görünce kendimi tekrar tokatladım, çimdikledim ama nafile, gördüğüm gerçekti. Kara dairedeki karıncalar hiç durmadan hareket ediyorlardı. Fakat daire, yerinden bir milimetre bile oynamıyordu. "Ne kadar kusursuz bir düzen bu!" diye düşünüp şaşkın şaşkın bakınıyordum.

Karıncalar en sevimli, en akıllı, en çalışkan hayvanlardır. Tabii bana göre böyle, birçok insana göre çirkin, istilacı, yaramazdırlar. Oysa onlar başkadır, yardım sever, sosyal, çalışkan ve konuşkan... Evet karıncalar konuşur, özellikle de benimle, karşılıklı konuşuruz dertleşiriz antenlerini sürerler ellerime, kaşıma, başıma.

Ama sadece ormandaki karıncalarla konuşurum, şehirdekiler asosyaldir. Yuvalarının başına geldiğimde lider, komutan karınca burnumun ucuna gelir, ön ayaklarını kaldırıp beni selamlar, onunla konuşuruz.

Sadece lider benimle konuşur, diğerleri sadece çalışır. Dertleşiriz ondan başka arkadaşım yok! Bunu birkaç insan arkadaşıma anlattığımda deli olduğumu söylerler. Ama bir gece ormanda ağaç tepesinde kalmaya çağırsam hiçbiri gelmez.

Zaten çocukluğumdan beri beni kimse anlamazlar ve bana kimse inanmaz. Ergenliğe kadar insanlara karışmadım hep düşünür, hayal kurar ve evimizin bodrumunda ya da hurdalıklarda yalnız dolaşırdım. Daha yedi yaşındayken onlara geceleri uçtuğumu, karıncalarla konuştuğumu, aslanlarla buluştuğumu söylerdim. Beni dinledikten sonra "Bunlar büyülenmiş deli bir şairin sözlerinden başka bir şey değil!" derlerdi.

Her ne kadar karınca dostu olsam da, beni bu kadar sevdikleri ve böyle kalabalık ziyaret edecekleri hiç aklıma gelmemişti. Onları gerçekten çok severdim, nereye gitsem, nerde olsam bir tarafımda bir karınca mutlaka dolaşır.

Onlarla konuşur, hiç durmadan sağa sola kaçışlarını seyrederim. Aslında çok sevimli hayvanlardır.

Hiçbirini bilerek öldürmedim, çocukken bile bazı haylaz arkadaşlarım gibi onların kolunu kanadını koparıp keyif yapmazdım. Halk arasında karıncaların bereketli ve uğurlu olduğuna inanılmasının da onları sevmemde önemli bir rolü olmuştur. Bunlara rağmen bu kadar karıncanın benim odamda olması ve bu kusursuz geometrileri içimi ürpertmişti.

Sabahın köründe yatağımın yanında oynaşan kara daire aynı yerinde durmaya devam ediyordu. Aslında göğsümü daraltan bir şeyler vardı, çok tehlikeli şeyler hissediyordum ama hiçbir şey yokmuş gibi onları öyle bırakıp pijamalarımla mutfağa geçtim.

Bulaşık dolu lavaboyu, yarım bırakılmış çikolataları, muzları, yarısı dökülmüş şeker torbasını ve pazar yerine dönmüş mermer tezgahı görünce, bu şaşkın karıncalar neden burayı tercih etmedi diye düşündüm.

Biraz mücadeleden sonra dünden kalma bir tava buldum, ona iç dış biraz su tuttuktan sonra yumurta kırmaya hazırdı. Kırılan yumurtaları yalnız bırakmamak için sucuk dilimlerini de ateşe attım. Beraber kaynaşıp kızardılar ve ağzımda eriyen bir tat bıraktılar ve vedalaştık.

Üzerlerine demli bir çay çekip kahvaltı keyfimden taviz vermeden, çılgın kara deliğimin inanılmaz varlığına geri döndüm. Karnım doymuş, kan şekerim ağdalanmıştı ama aklımın önünde, kara daire aynı yerinde duruyordu.

Yalnızlık ve bekârlık hali işte, evim tam bir hurdalıktır. Her hafta huysuz bir kadın gelir evime, etrafı derleyip toplar, her yeri pırıl pırıl yapar iyi çalışır ama hiç yüzü gülmez, sanki üzerinde belini çatırdatan bir yük var. Ücretini verirken bile suratı asıktır, yüzüme bile bakmaz, varoşların çileli, namuslu bir kadını gibi tertemiz, lekesiz, pırıl pırıl çekip gider.

Aslında bekar yaşayamayacak kadar dağınık ve pasaklı biriyim ama kısmet işte lüks bir semtte, pahalı bir dairede yaşayan eli yüzü düzgün bir mimar olsam da, bir eşimi daha bulamadım. Tabii onlarca hovardalık, gecelik Tanrı misafirleri ve eski aşklar mezarlığın kazma ve kürekle dolaştığım günleri saymazsak.

Evlilik de ayrı bir dert tabii, bir yanım istiyor bir yanım kaçıyor. Yalnızlık zor ve keyifli aynı zamanda alışkanlıkta yapıyor. Ama bir yaştan sonra aile, eş dost baskısı ve ne zaman evleneceksin, hadım mı oldun soruları sizi daha da yalnızlaştırıyor. Yalnızlığın fazlası da akıl sağlığı için iyi olmuyor, şizofren kliniklerinde, duvarlarla, resimlerle, katillerle konuşmaya başlıyorsunuz. Yani ben de eninde sonunda evlilik denen çivili tahtaya yatacağım.

Karıncalar öyle hızlı hareket ediyorlardı ki karartı sanki kaynayıp, kabarıp, taşacakmış hissi veriyordu. Karınca kümesini bir süpürgeyle odadan uzaklaştırmayı düşündüm. Fakat zarar görebilirler diye kendi hallerine bıraktım. Akşama kadar evden uzaklaşırlar diye düşünmüştüm. Gece saat 22.30 gibi eve döndüm.

Merdivenleri çıkarken o kadar başım ağrıyordu sanki matkapla kafatasımı deliyorlardı. Aklıma ev sahibine uğrayıp geçen gün torununun verdiği haptan istemek geldi. İyi kadındır bizim ev sahibi üç yıldır kiraya bir lira zam yapmadı. Ama kirayı bir gün geç yatırsam kapımı kırar gibi çalar, ortalığı ayağa kaldırır, onun için zaman çok önemlidir.

Tabii 75 yaşına gelmiş, bir saniyeyi bile boşa harcamaz. Onun Yahudi olduğunu söylüyorlar genelde iyi bir insandır zamanlama dışında bir sorunumuz olmaz, fazla muhabbetimiz de yoktur zaten.

Kapılarını çaldım kendisi açtı.

"Feride abla, yine başım korkunç ağrıyor geçen gün senin torun bir ilaç vermişti ya şu saydam damla gibi olan ilaç, ondan bir tane daha alabilir miyim?" diye sordum yüzüm buruş buruş acı içinde gözlerimi kapatarak.

Biraz acıyarak biraz endişeli dönüp salona doğru baktı.

"Oğlum senin her gün başın ağrıyor migren falan olmasın sende, daha dün bu ilaçtan almıştın. Sende kesin migren var her gün ilaç almak iyi değildir. Dikkatli ol!" dedi yüzünü ekşitip arkasına bakarak.

"Haklısın abla ne bileyim korkunç ağrı var o ilaç şıp diye geçiriyor, son kez rahatsız ediyorum. Yarın inşallah doktora giderim o ilaçtan yazdırırım" dedim.

Acıdan kıvranıyor bir an önce evime gitmek istiyordum. Kafamı duvara yaslayıp doğalgaz borusunu sıkarken torunu geldi. Bumerang şeklinde simsiyah kaşları olan, çekik ama iri gözlü, saçları beline kadar dümdüz, iki kulağı küpeli, dili bile delik deşik, tuhaf rahat bir tip...

"Oğlum o ilacı doktorlarda bulamazsın onu benim torunum yapıyor, o çok iyi bir mühendistir" dedi yaşlı ablamız tebessüm ederek.

Ben şaşkın şaşkın bakarak başımın ağrısından sıyrılıp ne dediğini anlamaya çalışıyordum. Tek isteğim şu ilacı alıp acımı dindirmekti ama yine de merakımı yenemeyip sordum.

"Yani bu ilaç resmi değil mi, reçetesi yok mu? Nasıl olur yahu bu! Ha anladım bitkisel bir şey o zaman. Torunum mühendis mi dedin, ne mühendisi ben de mimarım, mühendis ilaç mı yapar yahu, kimya mühendisi mi?"

Orta Asya gözlü, Avrupa saçlı, Amerikan bıyıklı karanlık suratlı torun, gelip omzumu tuttu ve ilk kez benimle konuştu.

"Al dostum sana bir tane daha hap tüm ağrılarını, korkularını, sorularını alır götürür. Evet, ben mühendisim; Düş Mühendisi'yim."

"Düş Mühendisi de neymiş yahu, düşün mühendisliği mi olur?" dedim, kafamı iki elimle sıkıyordum.

"Evet, bu ilacı ben ürettim Düş Mühendisliği'yle ürettim yani ondan gelen ilhamla, düş gücüyle, düşünerek ürettim. Şimdi ilacını al ve rahatla, düşünme senin yerine biz düşüneceğiz" dedi kara oğlan.

Başım hem şiddetle ağrıyor, hem de dönüyordu, nerdeyse bilincimi kaybetmek üzereydim, son sözlerinin anlamayı bırak duymamıştım bile.

O an o kadar acı çekiyordum ki, evimi, arabamı, anamı, babamı, eşimi, dostumu kurtulmak için kefaret olarak verebilirdim. Hemen hapı aldım ve mideye indirdim.

Daha benim daireye gelmeden baş ağrısı, aşk sızısı, dönme bulantı, endişe korku, sorgu, stres hiçbir şey kalmamıştı kafamda. Yeni doğmuş gibi beynim tertemiz, vücudum dimdik, zinde ve heyecanlıydım. Hatta üç beş kilo bile vermiş, belim incelmiş omuzlarım genişlemiş, kaslarım şişmişti, çakı gibi olmuştum.

Günün yorgunluğu, solgunluğu, stresi, karmaşası, yalanı dolanı uçup gitmiş atlaya zıplaya yuvarlana yuvarlana dolanıyordum evimde... Tüm heyecanıma, zindeliğime rağmen sabah bıraktığım emanetin merakıyla, yavaş adımlarla girdim yatak odama.

Yatağın kenarına oturdum ve göz ucu ile gömleğimi kaldırdığım yere baktım. Bir daha baktım, bir daha baktım sağa sola, yukarı aşağıya baktım tekrar baktım. Kara daire, aynı bıraktığım yerde duruyordu.

Bu olayı anlamak için anlamsız sorular sormaktansa oturup onları izlemeye başladım. Kafam yok gibi hafifti ama yine de onu ellerimin arasına alıp kara daireyi izlemeye başladım.

Tam dalmışken, birden birkaç karınca grubu daireden ayrılmaya başladı. Bir ip şeklinde arka arkaya dizilip daireden ayrılıyorlardı. Sanki siyah bir yumak sökülüyordu ve önümde uzun, ince, karıncadan bir yol oluştu.

Hayda bu da nedir? Binlerce karıncanın odama gelip kara deliklerinde kurulmaları doğaldı da şimdi bu yaptıklarımı tuhaftı? Yani şaşılacak bir şey yoktu zaten bende korku, şaşırma, endişe diye bir duygu da kalmamıştı. Ben de kalkıp bu yolu izlemeye başladım. Bakalım beni nereye götürecekler?

Sanki küçük şiddette bir deprem oluyor, kayığa küçük dalgalar dokunuyor gibi ayaklarımın altındaki zemin sallanıyordu. Duvarlar dönme dolap gibi yer değiştiriyordu ve ben sallana sallana onları takip ediyordum.

Karıncalar hızla salonu geçip mutfağa girdiler, ben de arkalarından yürüyordum. Mutfağı da hızlıca geçerek, açık olan kapısından balkona geçtiler. Biraz yavaşlayarak balkonun duvarına tırmanmaya başladılar.

En öndeki karınca balkonun kenarına gelince durdu. Arkadaşlarına döndü, iki ayağının üzerine kalkıp antenlerini, çenelerini oynatarak, bir orkestra şefi gibi kollarından birini kaldırdı ve "Arkadaşlar dosta doğru yolculuğumuz bitti, iyi kalpli Mimar dostumuzu ziyaret ettik, uyurken yatağının kenarına düşürdüğü çikolatasından karnımızı da doyurduk, bizi güzel ağırladı. Şimdi başka âlemlere gidiyoruz. Beni takip edin!" dedi.

Dikkatli bakınca ormanda konuştuğum asker karınca olduğunu fark ettim. Dağlarda bana arkadaşlık eden sırdaşım karınca dostum beni evimde ziyarete gelmişti ama bunu giderken anlıyordum.

Daha önce bilsem gitmesine izin vermezdim, şu dünyadaki tek dostumla şöyle bir çilingir sofrası kurup efkârın gözüne, sözün özüne vururduk. O kadar yalnızdım ki, karıncalar bile depremi hisseder gibi, benim boşlukta debelenişimi hissetmişlerdi. Galiba yalnızlıktan beynimiz zarı delindi de kafayı yedim ben. Dostum bana doğru antenlerini çevirdi. "Hakkını helal et mimar dostum, biz gidiyoruz, görüşürüz."

"Nereye?" diye kendi kulaklarımı bile patlatırcasına bağırdım.

5–10 saniye sonra kendini balkondan boşluğa bırakıverdi ve diğerleri de sırayla onu takip etmeye başladılar. Beynim durmuştu, karıncalar sırayla intihar ediyorlardı. Bu olanlar gerçek miydi, öyleyse ölüm yalandı? Ben de attım kendimi karınca dostlarımın ardından, sonsuzluğa, sonsuz olmaya...

Karıncaların ardından salıvermiştim kendimi gecenin karanlık kuyusuna. Düşüyordum da düşüyordum, düşüyordum da düşüyordum. Kollarımı açtım ama uçamıyorum hala düşüyorum. Karanlık bir tünelden dünyanın merkezine gitmek veya Kartal-Kadıköy metrosuna inmek kadar uzun sürüyordu bu düşüş. Hayatım gözlerimin önünden film şeridi gibi geçiyordu hatta evreni, yoktan varoluşu bile çözmeye başlamıştım. Ama hâlâ düşüyordum ve hissediyordum bir şeyler olacaktı.

Hâlâ kafam asfalta çarpıp parçalanmamıştı, belim demir parmaklıklarda ikiye bölünmemişti, ayaklarım bedenimden kopup da savrulmamıştı çalıların arasına.

Bu bir düşüş değildi, bir düş de değildi, üşümekti sadece, bulutların üzerinde tatlı bir serinlik... İçimde ne ölüm, ne de canımın yanacağı korkusu vardı. En sonunda, bu karanlık, bu meraklandıran, bu pervasız, bu anlamsız düşüş, önce bir nokta, sonra da karanlığı delip geçen bir ışık patlamasıyla son buldu.

Belimi ve karnımı saran korkunç bir sancıyla beyaz ışığın merkezine doğru vakumlanmaktaydım. Işık güneşten daha parlak olmasına rağmen, gözümü kırpmadan ona bakabiliyordum.

Sanki ışık hızıyla ilerliyordum. Görüntüler dalgalanıyor, hisler azalıyor, boyutlar değişiyordu. Hiçbir endişe, korku, acı hissetmeden, hatta biraz da mutlu bıraktım kendimi ışığın girdabına doğru... Işığın merkezine yaklaştıkça bedenim öyle yoğunlaşmıştı ki, kendimi dünya kadar ağır hissediyordum.

Bedenim lastik gibi oldu, bayrak gibi dalgalanıyordum. Kollarım ayaklarım birbirine dolanıyor, belim boynum uzuyor kısa kısa titreşimli dalgalar başımdan ayakucuma kadar gidip geliyordu. Lavabo deliğine su girdabıyla sürüklenen bir marul yaprağı gibiydim.

Merkeze geldiğimde, bütün hücrelerim ayrılmaya başladı. Genlerim DNA'larım bile ayrışıp sanki moleküler bir ışınlanma yaşıyordum. Bedenim enerjiye, enerji maddeye dönüşüyordu bu âlemde.

Kum taneleri gibi dağılıp, şeffaf bir zardan geçerek karşı tarafta birleşiyorlardı. Ben de sanki bedenimden ayrılmış, olanları dışarıdan seyrediyordum.

Sonra bedenime tekrar geri döndüm. Zarın diğer tarafında kendimi bir uçurumun kenarında bulmuştum ve arkamda dağ gibi bir duvar vardı. Uçurumdan aşağıya baktığımda gördüğüm sadece karanlık...

Ve ara ara yukarıdan küçük kaya parçaları düşüyordu, hemen kulağımın yanımdan kurşun ıslığı gibi geçiyorlardı. Arkamda duvar, önümde uçurum, yarım metrelik bir bölgede hareket edebiliyordum.

Tek kişilik bir hapishanede gibiydim ama pencere, duvar, oturacak bir şey, tuvalet bile olmayan bir zindan ve sonsuz karanlık bir derin bir manzara. Şimdiye kadar fantastik bir macera, hız trenindeki gibi bir adrenalin patlaması veya korku tüneli gibi eğlenceli bir lunapark gezisinde gibi hissediyordum. Fakat artık çakılların üzerine çıplak yatmış gibi gerçek hertarafıma batmaya başlamıştı.

Korku ve sıkıntı içinde bir ileri bir geri giderek beklemeye başladım. Birkaç dakika sonra aniden ayağımın altındaki taşlar birer birer aşağıya yuvarlanmaya başladı. Duvara yapışmıştım ve korku içinde titreyerek bu kâbusun bitmesi için dualar ediyordum. En sonunda uçurumun kenarında ayakkabılarımın yarısı kadar bir bölge kalmıştı, orada tutunmaya çalıştım.

Kopan taş parçaları karanlık, dibi gözükmeyen uçuruma doğru düşüyordu. Biraz sonra bende taşlar gibi yuvarlanacaktım boşluğa. Ne kadar sürecekti nerede bitecekti bu yeni alemdeki kabus, rüya, gerçek ve sanal bulamaç. Yoksa öldüm de hakkımda hüküm verilmiş miydi?

Bütün hayatımı şöyle bir taradım o an. Yediğim, içtiğim, söylediğim, dokunduğum, unuttuğum, baktığım, kokladığım, yaptığım-yapmadığım her şeyi düşündüm. Günahıyla sevabıyla bir kuldum işte, dönem dönem değişik ruh hallerine girdiğim olmuştu ama hiçbir zaman rabbimin rahmetinden nimetinden umut kesmedim. Yarabbi subhansın, rahmansın merhametine muhtaç aciz bir kulunum, acı bize sen bizim Mevlamızsın.

Topuklarımla son kalan taş parçalarına tutunmaya çalışıp arkamdaki duvarı tırnaklarımla kazırken gözlerimi kapadım ve karanlık kuyuya doğru uçuşu beklemeye başladım. Kan ter içinde gözlerimi açtığımda, uçurumun karşısındaki karanlık bir sis bulutunun kalkmasıyla aydınlanıverdi. Karşı tarafta duran kırmızı renkte dev bir karınca gördüm.

Kırmızı dev karınca uçurumun kenarına yaklaşıp antenlerini bana doğru uzattı ve belimi sarıp bir çırpıda karşı tarafa çekti. Arasından güneşin ışınlarının sızdığı, dev meşe ağaçlarının altında uzanan yemyeşil çimden halıya bırakıverdi.

Kırmızı karınca bana birkaç saniye dev gözleri ile baktı ve çok hızlı adımlarla gözden kayboldu. Beni bıraktığı yer o kadar güzel, ahenkli ve huzurluydu ki… Sonu görülmeyen meşe ağaçları, hemen diplerinde yetişmiş binbir çeşit çiçek, misk gibi bir koku ve yemyeşil çimler; büyüleyici bir manzaraydı. Ben de yürümeye başladım meşe ormanın içine doğru… "Yalan mıydı, tuhaf mıydı, rüya mıydı?" diye diye…

O korku dolu, korkunç, tuhaf anlardan sonra burası cennet bahçesi gibi gelmişti, her zorluktan sonra mutlaka bir ferahlık vaat eden Rabbime şükürler olsun.

Ormanı geçtiğimde kusursuz geometrideki taşlarla döşenmiş bir yola girdim. Yolun üstü birbirine kaynamış, sarmaş dolaş olmuş çeşit çeşit ağaçla kapatılmıştı. Üzerindeki meyvelerin hepsi rengarenk ve nurlu bir ışık saçıyorlardı.

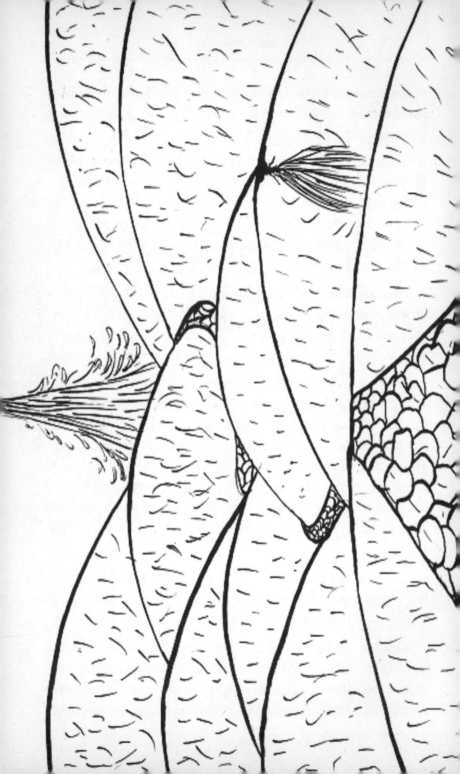

Onların ışığıyla aydınlanmış bu ağaç tünelde yürümeye devam ettim.

Tünelin sonunda lazer ışık gösterilerinde oldu gibi bir ışık hüzmesi tünel duvarlarına çarpıp dolaşıyordu. Ne kırmızı, ne mavi, ne yeşil hiç görmediğim renkte sanki bu dünyadan olmayan huzur verici bir ışık...

Işığın geldiği yere ulaştığımda ağaç tünel sona erdi, taş yol hafif meyilli bir şekilde aşağıya doğru gidiyordu ve gözlerime inanamadım! Hiçbir yola böyle bir son durak nasip olmamıştır.

Gördüğüm sonu gözükmeyen bir vadiydi. Ben ona vadi demiştim çünkü dünyada böyle bir şey görülmemiştir. Oval hiçbir çıkıntısı olmayan üzeri rengarenk ışıklı ağaçlarla kaplı tepeler ufka kadar uzanıyordu.

Her taraftan pınarlar fışkırmış, oval renkli zümrüt, elmas gibi kayaları yalayıp aşağıya akıyordu. Ve yarılmış kayalardan fışkıran masmavi şelaleler, aynı boyda rengarenk ağaçların arasından akıp gidiyor.

Öyle bir güzellik ki hiçbir kusur bulamazsınız, tam bir ahenk, uyum, ne eksik ne fazla, hiçbir çatlak, yamukluk, eğrilik olmayan ilahi bir kesinlik vardı burada.

Defalarca her tarafa bakıyordum, her seferinde gözlerim bir kusur bulamadan yorulmuş bir vaziyette geri dönüyordu. Vadinin ortasındaki şelaleye doğru yürümeye başladım. Öyle bir şelale ki gökyüzünden fışkırıyordu, gökte bir noktadan yere doğru buz mavisi, köpüksüz bir su kütlesi, huzur içinde aşağıya düşüyordu.

Şelale bir oyuktan aşağı doğru akıyor ve hiç ses duyulmuyordu. Şelalenin yanına kadar gittiğimde etrafı ağaçlarla çevrili yarı saydam zümrütten bir kayanın üstüne çıktım. Kayanın altından ırmaklar akıyordu.

Tam ortasında bakanlara mutluluk veren bir kandil yanıyordu. Dışı saydam inciden, hiç el değmemiş zeytin ağaçlarından yakılmış bir kandil. O zeytin ağaçlarının yağı süzülüyordu aşağıya doğru öyle bir nur ki o, ateş değmeden ışık saçıyordu.

Üzerinde oturaklar gördüm, parlak beyaz bir örtüyle örtülmüşlerdi. Oturup biraz dinlenmek istedim, elimi uzattığımda ağaçların ışıklı meyvaları avucumun içindeydi. Nefis kokuları ve enfes tatlarıyla boğazınızdan kayıp gidiyorlar. Karnımda doyunca şöyle bir-iki saniye gözlerimi kapadım hiçbir şey düşünmeden.

Gözlerimi açtığımda korkuyla kendimi geri attım, altımdaki örtüyü yırtarcasına çekiyordum, gözlerim Şam şeytanı gibi açılmış, konuşamıyordum. Böyle bir güzelliğin karşısında konuşulmaz da zaten. Sadece tebessüm ettim. Hemen önümde üç tane sedefinde saklı inciler vardı. İri badem gözlü, yumurta gibi pürüzsüz tenli, güzellikten yüzleri ışıldayan bakılmaya doyulmaz yaşıt üç kadın…

İpek astardan kenarları altın işlemeli bembeyaz elbiselerinin içinden bile tenleri inci tanesi gibi parıldıyordu. Üçü de aynı boyda söğüt fidanı gibiydiler, bakışlarını benden ayırmıyorlardı.

Ellerindeki altın renkli tepsiler enfes gözüken yemekler ve içkilerle doluydu. Saygıyla eğilip ikram ediyorlar ben de keyifle yiyordum. Şarabın sonu miskti bitince hemen yenisi geliyordu, yedikçe yiyor içtikçe içiyordum, her seferinde artan bir lezzet alıyordum, şişkinlik, şişmanlık, pişmanlık, hazımsızlık, bıkkınlıkta yoktu buralarda.

Doyulmaz bir mutluluk, huzur ve keyif içinde, böyle dilberler tarafından ağırlanmanın hafifliğiyle kendimden geçmiştim. Ne sıkıntı, ne korku, ne endişe, ne bıkkınlık, terleme, üşüme, ağrı, sızı, yalnızlık yoktu artık. İçlerinden biri yanıma oturup omzuma dokundu.

Nurdan gözlerim kamaşmıştı, yüzüne zor bakıyordum sanki tanıdık bir yüz derken, kadife gibi bir ses dokundu kulak zarıma, onun sesiydi, aşkın sesi, 17 Ağustos depreminde ölen, kalbi çalan o kadının sesi, melek mi olmuştu?

"Seni seviyorum, işte büyük başarı bu, bunun için çalış, çalış, çalış, çalış…"

Birden gözlerim acı içinde açıldı, baş aşağı yere doğru bakıyordum. Ağzım burnum kan içindeydi. Belimde ve karnımda korkunç ağrılarla, bizim evin yanındaki meşe ağacının dallarında asılı kalmıştım.

Yaklaşan ambulansın sesini duyuyordum ve "Oğlum sen ne yaptın?" diye bağıran annemin sesini.

Ağzımdan damlayan kanlar yerdeki meşe yapraklarının üzerine düşüyordu ve kana bulanmış kırmızı karıncalar etrafında dolaşıyordu…

133

HAZAR'DA BİR DÜŞ MÜHENDİSİ

Annemin, sürekli beslediği, soğuk su içirmediği, otobanda 60 kilometreyle gitmeye zorladığı zoraki kahramanı olarak yıllarca ağır sanayinin tozunda, toprağında, sıcağında çalışan bir mühendis oldum. Fakat ne kadar hayal edersem edeyim, asla şöyle nükleer bir ışımaya maruz kalıp da, Örümcek Adam'a, Hulk'a, Superman'e, X Man'e dönüşemedim.

Hep düz bir mühendis olarak yaşadım ama aklım fikrim hep yazıp çizmekteydi. Kader işte, belki de bir gün o süper kahramanlar benim kalemimin ucundan doğacaktı. Aslında pişman da olmadım, yıllarca ekmeğini yedim mühendisliğin, maddenin ruhunu ve onun esiri olmayı öğrendim her çalışan gibi.

Yeni icatlar yapmak, hayatı kolaylaştırmak, yeni malzemeler bulup tarihe geçmek isterdim ama o da nasip işi, olmadı. Aslında bir sürü icadım var ve onların hepsini çizdim.

Hayatı kolaylaştıran, savaşları durduran ve hayata geçmiş bir icadım henüz yok.

Ama ben Düş Mühendisi'yim, düşlerim ve tasarlarım, onları canlandırmak saha mühendislerine düşer. Belki ben öldükten sonra icatlarım için bir hayır duası alırım, kim bilir?

Bir fabrikada mühendis olarak çalışmayı beceremedim. Süper kahraman da olamadım. Ama aslında bana en büyük acıyı veren ve hepsinden daha çok istediğim başka bir şey vardı. Çocukluk hayalim uzaya gitmek astronot olmak ya da şu aya mekik gönderen, Mars'a robot indiren, kuyruklu yıldızlara cihaz indiren, tarih yazan o ekiplerde olmak isterdim. Böyle bir şey için her şeyimi feda ederdim.

Mühendislik sayesinde dünyayı dolaştım diyebilirim. İşte böyle hayalleri kırık birinin yaşadığı bir maceraydı Kazakların diyarı...

Yıl 2010, Hazar Denizi kıyısında bir sahil kasabasındayım. Sebebi küresel ısınma mı, yoksa daha öncekiler gibi bir yaz mı, bilemiyorum ama hava çok sıcak.

Tam bir bozkır iklimi gündüzleri güneş tepenizde beyninizi kaynatır. Gece gündüzü sarıp sarmalar ama size şevkat göstermez, geceleri donarsınız tam bir termal şoktur yaşadığınız Kazak çöllerinde...

İşte insanları gibi sert, kuru, tadı tuzu, kuzu tandırı olmayan bir yer. Ağaç, yeşil, çiçek böcek olmayınca nem de olmuyor, yani benim gibi yazın şelaleler gibi terleyen biri bile kaliteli bir ped takılmış gibi kupkuru kalıyor. Tabii cennette olmadığımız için her güzelliğin bir tehlikesi, her çirkinliğin de güzel bir sesi vardır bu dünyada. Aslında burada insan mutluluktan bile sıkılır, bunun yanında kötülüğe, çirkinliğe bile alışır.

Çok şükür ki tükenmek bilmeyen Sibirya rüzgarları, ılık bir meltem dokunduruyor siyah, beyaz, kahve rengi ve sarı tenlerimize. Dünyanın dört bir yanından geldik buraya Hazar'daki petrol için, ekmek için...

Bir Düş Mühendisi olarak sadece merak etmiştim denizden petrol çıkıyormuş acaba rengi mavi midir? Ya şu yaşananlar düş müdür sahi midir?

Petrolün rengi mavi midir bilinmez ama çok tehlikeli ve içinin kapkara olduğu kesindir. Kara petrol mavi denize bir karıştı mı, petrolü çıkaran kodamanlar da petrolü çıkaran amele mühendislerde hepiniz yanarsınız. Ondan sonra ayıkla denizin, kayasını, tuzunu, petrolünü ayıklayabilirsen.

Ve insanoğlu ayda, Merkür'de, Mars'ta bulamayınca petrolü yeryüzündeki uzaya, karanlık, gidilmemiş derinliklere dadandı. Oraları da delik deşik ediyoruz insan rahat yaşasın, yürümesin, üşümesin, yalnız kalmasın diye.

Okyanusların, denizlerin kilometrelerce altında arıyoruz artık mutluluğu, kolunda delecek damar kalmayınca dirseğinde delik arayan bir eroinman gibi. Petrol mutlu eder ama uyuşturucu kadar tehlikelidir onu çıkaranlar, kullananlar ve içenler için.

Yerin altında sondaj borularıyla dünyayı rahatsız ettiğinizde, mürekkep balığı gibi sinirlenir ve bir gaz gönderir. Ama bu gaz görmenizi engellemez sizi anında öldürür. Bu zehir H_2S gazıdır platformları yutuverir, milyonda bir miktarda solursanız bütün yaşamsal enzimlerinizi kitler sizi anında öldürür.

Ve yüzyılımızda böyle birçok acı tecrübe yaşandı. Okyanusun kilometrelerce altında, santimetrekareye 2 ton basınç düşerken, robotların bile zor indiği yerlerde hata yapamazsınız.

Eğer yaparsanız, bunun bedeli bir doğa felaketi, insan hayatı ve milyarlarca dolar olur. Böyle bir felaket uluslararası medyadan gizlenemez ve korkunç bir baskı ve saldırı altında kalırsınız. Öyle bir sıkışmışlıktır ki bu, bilim kurgu yazarlarından bile medet umar, bir çıkış, bir çare ararsınız.

İnsanoğlu uzaya gitti, şaibeli ama belki aya gitti, Mars'a uydu kondurdu ama okyanusların derinlikleri hala balta girmemiş ormanlar gibidir. Uzay kadar merak ettiğim yerlerdir okyanusların karanlık derinlikleri. Uzay gibi karanlıktır suların derinliği ama boş değildir.

Orada madde tonlarca basıncın altında sıkış sıkıştır ve uzay gibi hiçbir insan yaşayamaz okyanusun altında. Oralarda garip, ucube, tuhaf tanımlanamayan yaratıklar yaşar, tabii bunlar şu ana kadar tanışabildiklerimiz kim bilir daha neler var? Dünya üzerindeki okyanusların sadece % 1 keşfedilmiş durumda. Belki ay hakkında, derin maviliklerden daha çok şey biliyoruz.

Denizdeki petrol emen platformun parçalarını gönderiyoruz. İçimizde ki hasret demetinden vatana sevgi, sevgiliye özlem tanelerini kopardığımız gibi... Haftanın yedi günü düş köprüleri kuruyorum İstanbul'a, Ege'ye, Trakya'ya vatanın binbir renk, binbir tat her yerine.

Yemeklerimizi öyle özledim ki şapır şupur içinde ne var diye düşünmeden yiyebilmek... At eti mi, timsah mı, kedi mi, domuz mu diye düşünmeden. Tuhaf yemekleri ve acayip damak tadına rağmen biraz kilo aldım.

Sanırım doymak için yediğim ekmek türevlerinden olmalı. Kabul etmeliyim, ekmekleri gerçekten lezzetli. Topraklarında yetişen nadir şeylerden biri de buğday, böyle olunca ekmekte iyice uzmanlaşmışlar. Bir de sıcak suyun içine et parçaları atılmasına; çorba diyorlar buralarda.

Yemekleri beğenmeyince çok bozuluyorlar. Ben de bazen otelin etrafında bulduğum Türk restoranlarında pahalı da olsa ufak kaçamaklar yapıyorum. Bunların yanında yatakları sert, yaya için trafik ışığı yok, en can acıtanı ise klozetlerde taharet musluğu bulunmaması, bunları da eklemeliyim seyir defterine.

Aslında şükretmeli, ben bu ülkenin Antalya'sı gibi bir yerdeyim. Hazar kıyısında bir sahil şehri en merkezi, en iyi otellerde kalıyoruz.

Deniz iklimi olduğu için insanları biraz daha ılıman. İç kısımlarda yaşayan arkadaşların durumu daha acıklı. Kırsalda insanlar daha cahil, daha katı, kolayı, hamburgeri, parayı, akıllı telefonları seviyorlar ama yabancıları ve düşünmeyi hiç sevmezler.

Sovyetlerden kalma geniş yollarda ve yaşlı evlerde yaşıyorlar kapitalizmi. Gerçek ise acı votka tadında, yaşlılar şanslı sosyalizmden kalma yolları, eskide olsa evleri var.

Fakat yeni neslin çok sevdiği kapitalizm, bu imkanları sadece şanslı ve güçlü olanlara verecek. Derin uçurumlar oluşmuş varoşlar ve burjuva arasında. Mal, mülk, zenginlik ve güzel kadınlar zenginler arasında dönüp duran, elden ele dolaşan meta haline gelmiş.

Modelini bile bilmediğim dev arabalar dolaşıyor şehrin merkezinde, sanki birilerini altlarına almak ister gibiler.

Arabalara sahip olurken aldıkları gibi... Bakalım yeni sistem mutluluk getirecek mi?

Sosyalizm ile kapitalizm, Batı ile gelenek ve din ile şeytan arsında öyle bir karışmışlar ki, buralarda çelişkiler kör düğüm olmuş. Daha öğrenecekleri çok şey ve yürüyecekleri çok yol var.

Orta yaşlarda Rus bir kadınla tanışmıştım. Kocası yeni ölmüş üç kızı olan son derece düzgün, kültürlü ve namuslu bir kadındı.

Ona sordum: "Bu Rus kadınlarının imajı neden bu kadar hafif, bizde Rus dedin mi 'Nataşa yataşa' denir hepsi 100 dolarlık fahişeler olarak bilinir bu neden böyle?"

Kadın tebessüm etti ve hiç unutamayacağım bir cevap verdi: "Peki, ben neden öyle değilim, ben de 1000 dolarlık çizmeler giymesini bilirdim ama yapmadım, gittim tuvalet temizledim ama etimi satmadım ama şeytanlar binlerce erkeğin tuvaleti oldu, yani insan ahlaklı ise doğru bildiği gibi yaşar para için değil."

Bizim çılgın İskoçyalı mühendisin sevgilisiydi o kadın. Kadına evli olduğunu söyleyince ayrıldılar. İskoç, çılgın, deliydi ama delikanlıydı yalan diye bir şey yok hayatlarında ve söz verdiklerinde şaşmaz bir şekilde yerine getiriyorlar. Onlar bizim dinimize inanmıyorlar, biz inanıyoruz onlar yaşıyorlar.

Ona 'Neden evli olduğunu söyledin ki, karınla aranızda binlerce kilometre var, nereden haberi olacaktı? Yani burada yaşadığın bir kaçamak bir eğlence değil miydi?' diye sorduğumda bana şöyle cevap vermişti.

"Harama hile karıştırılmaz Semih, günaha günaha eklersen tövbe edemezsin, tövbe etsen bile sadece biri affolur. Yani yanlış bir şey yaparken bile dürüst olacaksın." demişti İskoç aksanından ayıklaya bildiğim İngilizcesiyle.

Bizim için çok doğal olan yolsuzluk, yalan, dolan, ikiyüzlülük, riyakârlık ve münafıklığı daha çocukken en büyük günahlar olarak özümseyip hayatlarından çıkarmışlar.

Ve okuyorlar sürekli, ilime ve bilgiye karşı açlar, bir kitap, bilgi dediğiniz zaman ağızlarının suyu akıyor. Çin'de bile olsa ilmin peşindeler.

Ben de Batılılarla ilgili hep duyduklarımı, canlı canlı yaşayınca halkımı, ülkemi düşünüyorum ve acı çekiyorum. Yolsuzluğu, kul hakkını, soygunu, hortumu olağan görüp, önemsemeyen, bal tutan parmağını yalar diyen, söz vermek bir, dönmek iki diyen halkım için...

Çeyrek döner yiyip yılda yarım kitap okumayan, ilimden, bilgiden öcü gibi kaçan. Kuran'ı Kerim'i bile okumayıp aklını işletmeyen, her sakallının peşine düşen, hayat denen bir ömürlük ibadeti hiçe sayıp, dini; kıl, tüyden, yatıp kalkmaktan ibaret gören halkım için acı çekiyorum.

Gurbette bile halkımı düşünüyorum. Üşenmeden düşünüyorum ülkemi uzaklarda bir düş mühendisi gibi, düşünüyorum halkımı İngilizce;

Ağıt yakıyoruz bitmiş ahlakımıza, namusa, dürüstlüğe ve kağıt yakıyoruz ayakkabı kutularında... Görülmemiş bir münafıklık, ikiyüzlülük, hırs, yok etme isteği, kardeş kanı içme yarışı sürüyor. Harama hile karıştırılmış, din, iman, Allah rızası yeryüzünden kalkmış gökyüzüne taşınıyor.

Çalan çırpan, yatan kalkan, yalan dolana karışmışken buhar kazanında ve tandır kaynarken gökyüzünde biz en iyi bildiğimiz işi yapıyoruz, düşünüyoruz. İşte biz de bu yalan dünyanın bu yalan gündemine saplanıp kaldık, şu an aklımıza en son gelecek bir şeyi; emek şehitlerimizi anmak istedim.

Annemin süper kahramanı olarak yıllarca ağır sanayide Düş Mühendisi olarak çalıştım. Mühendisliğin ilk yılları alçaktan sürünmeyle geçer. İşi, yöneticiliği ve insan ilişkilerini öğrenip kendiniz işleyene kadar demiri, çeliği, makineyi işçiden beter çalışırsınız. Gccc yarılarına kadar bitmeyen ücretsiz mesailer ve en ağır en tehlikeli işlerin yanı başında olmak...

Böyle olunca çekici sallayan, vinçten düşen, yanan, eriyen, çarpılan, havaya uçan emekçiyi çok iyi anlarsınız, hele bazıları gözünüzün önünde olduysa...

Bu insanlar 2000 derecenin yanında, asitlerin, vinçlerin altında, zehirli gazların, plastik kanserojenlerin, kostiklerin, fosfatların, sülfürlerin için de, 125 metrenin üzerinde asgari ücret için çalışıyorlar.

Sadece 2013'te 1235 kişi iş kazalarında hayatını kaybetti. Onlar emek şehitleriydi, inşallah helal ve asgari bir para için ölmüşlerdi ama hiçbir zaman hırsızlar kadar itibarları olmadı.

İşte onlar emek şehididir inşallah, süt gibi ak alın teri ile geçinmek için asgari ücret içi kolları kafaları kopuyor, zehirleniyorlar, 100 metreden düşüyorlar, boruların, kayaların altında kalıyorlar.

Ben biraz da bu insanları anmak istedim. Birileri paraları evlere, villalara, lüks dairelere sığdıramazken bu insanlar asgari ücret için canlarından oluyor, işte bunlar anlayana...

Hepsine, her şey helal olsun şehittir inşallah onlar, bastığımız toprağın altındakiler gibi kömür madenlerinden çıkamayanlar gibi. Ne lağım bir işmiş bu siyaset be kardeşim! Böylemi olmalıydı binlerce yıllık tarihi olan bir milletin yirmi birinci yüzyıl hali?

Hizmetmiş, ne hizmeti yahu zimmet yarışı, zimmeti arttırma yarışı. Türkiye o kadar kirlendi yozlaştı ki belki de bir çöküş, tufan, bir sarsılış, bir çarpılış lazım aklını işletmeyenlere, cahiller ve zalimlere...

Medyen halkının, Lut kavminin, Nuh kavminin, Semud halkının başına geldiği gibi...

Bizim İskoçyalı 55 yaşında bir delikanlı. Yaşına rağmen benden 20 yaş daha genç, dinamik, heyecanlı bir adamdı. Gerçek yaşı 18.

Günde üç saat uyur, hiç yerinde duramaz, her gece klüplerde gezer, yer, içer ve kadınları çok severdi. Beni de çok severdi ve her gece gezmeye, eğlenmeye çağırırdı, sessiz sakin, düşünen adam, çılgın Türklerin Düş Mühendisi'ni.

Buraların insanları, birçok yönden kaba ve geri kalmış olmalarına rağmen, gelişmiş ülkelerde bile göremeyeceğiniz medeni hallere rastlayabiliyorsunuz bazen.

Bütün yoksulluğa ve uçurumlara rağmen kadınları çok şık, son model ve son derece davetkar giyiniyorlar. Bunun yanında erkekleri genelde kıskanç ve milliyetçi.

Kadınlar inanılmaz şıklar, cömertçe sergiliyorlar bedenlerini, çoğu teşhirci. Eeee nasıl göstermezsin o yüzlerce dolarlık çizmeleri, çantaları, kolyeleri, iç çamaşırları. Avrupa'da bile bu kadar şık kadınlar görmedim.

Buradaki kadınlar sabah bakkaldan ekmek almaya giderken bile moda defilelerinde iş kazası geçirmiş mankenler

gibi, podyumdan fırlamış gibi, çekici kıyafetler giyip ve ağdalı makyajlar yapıyorlar.

Fakir ülkelerde görülür böyle güpegündüz şıklık, rüküşlük ve berduşluk hepsi bir aradadır. Karmakarışık bir arabesk yaşanır Üçüncü Dünya ülkelerde. Hep bir arada kalmışlık, hep sıkışmışlık parayla, dinle, Batı ile Doğunun arasında pişememiş bir hamlık yaşanır.

Aslında Batılı kadınlar gündelik hayatta son derece sade, sıradan rahat kıyafetler giyerler, bir kot üstüne bir gömlek, bir tişört gibi. Şık tuvaletler, gökdelen topuklu ayakkabılar, her yanı ortada elbiseler sadece gecelerde, düğünlerde özel davetlerde giyilir.

Yollar geniş ve temiz, çok sıkı polis kontrolü var, emniyet kemeri takmayan yolcu ve sürücü göremezsiniz. Yaya geçidinden yürüyorsunuz ve arabalar duruyor, ışık falan yok.

O kadar ki kaldırımdan yola ayağınızı şöyle bir uzatsanız, parmağınız ucu asfalta değse bütün arabalar duruyor ve geçmenizi bekliyorlar. Bazen karşıya geçmeyecek bile olsanız bütün trafik durduğundan kendinizi geçmek zorunda hissedersiniz. İlk başlarda çarpacaklar diye çok korkmuştum ama çok şükür durmayan hiç olmadı.

Bizim kurtlar vadisi kılıklı bazı insanlarımız yaya geçidinden geçene müsaade etmeyi bırakın, kırmızı ışık falan bile dinlemezler. Ambulansın yoluna bile park ederiz, bütün yollar, kurallar bize uymalıdır, tabii bir Türk dünyaya bedeldir. Kahramanlık naraları atmaktan herkesi geride bırakırız ama sıra ilim, bilim, medeniyete geldi mi en arkada nal toplarız.

www. semihbulgur.com

Ekonomide, demokraside Kazaklar'dan onlardan yıllarca ilerdeyiz ama kanımızda hâlâ Atilla'dan, Cengizhan'dan, İskender'den gelen zorbalık kırıntıları dolaşmakta.

İşte kadınlar böyle cömert olunca başınıza bela alma riskiniz oldukça yüksek. Vicdan azabı, azgınlık pişmanlığı ve zevk pişkinliği arasında yaşayıp risk almaktansa, tek eşlilik ve romantizmi tercih etmeli. Buralarda irin kusan şeytan sürüleri sizi yoldan çıkarmak için her şeyi yaparlar ama uymamakta huzur var.

Ahlaksızlık sıradan, rüşvet doğal, her şey için her yerde her durumda para istememek olağan. Allah doğru yola kılavuzlasın... Burada bir cami var diye duydum ama hiç ezan sesi duymadım.

Ama kiliselerini görmemek mümkün değil. Tam bir mimari harikası, öyle parlatıp cilalamışlar ki kubbelerini. Altın renginde güneş inmiş yeryüzüne saki öyle gözünüzü alıyor. Bir de varoşların karşısına dikmişler sırtlarına yüklenmiş günahları çıkartsınlar diye.

Misyonerlik faaliyetlerine tam gaz devam ediyorlar. Büyük bir kesim Hristiyan olmuş. Çelişkilerle, tutarsızlıklarla dolu dinlerini, sapıklıklara adı karışmış din adamlarını öyle bir cilalayıp pazarlıyorlar ki şaşırmamak elde değil. Biz ise hakikatin ta gerçeğini kendi dinimizi, bizim gibi benzer kültürden insanlara bile satamıyoruz.

Birçok sıkıntılar yaşadım ama hem iş, hem de tatil gibiydi, bu hazar kıyısı ziyareti. Yabancı ülke görmek, her ne iş yapıyorsanız yapın gerçekten çok şey katıyor insana. Bambaşka dünyalara giriyorsunuz, yeni doğmuş gibi zinde ve bir ömür yaşamışmış kadar dolu oluyor ilham sepetiniz.

Gördüm ki ülkemde olduğu gibi burada da sömürülüyor insanlar parayla, dinle, güçle. Cahillikten, sefaletten kurtulmaları için çok okumaları ve çok çalışmaları lazım. Ama kapitalizmin hazır sunduğu hamburgerler, bilgisayar oyunları, internet gezintileri varken çalışıp çabalayıp, ilim öğrenip bilgi üretmek zor geliyor insana.

Esasında bu durum bizim ülkemizde de çok farklı değil. Okumuyoruz, düşünmüyoruz ve üretmiyoruz. Son zamanlarda Avrupa ve Amerika'nın pis ve ağır işleri bırakıp bilgi ve iletişim teknolojilerine odaklanması, bizim gibi ülkelerin üretim ve ticaretinin hareketlenmesini sağladı.

Fakat bu geçici bir geçiş dönemi. Bu süreç bizde de çok uzun sürmeyecek. Ağır sanayi üretimi ucuz iş gücünün olduğu daha geri kalmış ülkelere kayacak. Bu gerçekleştiğin de okuyan, gelişen, bilgi ve teknoloji üreten bir toplum haline gelmezsek Batının akıllı telefonlarından akıl almaya devam ederiz ve birileri gelip bizi yönetir.

Geçici ve yaradılışımıza aykırı yasam asla huzur getirmiyor, getirmeyecek. Allah buhranlar çağında, kimseyi yalnızlık, sıkıntı ve stres hastalıklarını bulaştırmasın, göğsümüzü ferah tutsun.

Dosdoğru yoldan ayırmasın bizi Rabbim. Dünyayı değiştiremeyiz ama söyleyecek bir sözümüzün olması da güzel. Belki bir söz de hiçbir şeyi değiştirmez ama her insan ayrı bir dünyadır, bir dünya değişse yetmez mi? O da mı olmadı, kendimi değiştiririm...

Mizah Ararken

Ağır sanayinin kiri, tozu, pası ve stresiyle sarmaşdolaş olup, günleri tespihe dizip, cumartesiyi çekerken kendime doğru, bir hafta daha batıyor mazi denen çöplükte.

Hafta sonu da geçer gider bir ömür gibi, ama asla çöplüğe atılmaz güzel anlar. Onlar cilalanıp, parlatılıp pamuklara sarılarak hafızanın en temiz, klimalı, süit dairelerinde depolanırlar. İşte bu kadar ağdalı severim hafta sonu tatillerini.

Ve yine hafta sonu ve ben yine İstanbul yollarındayım. Hem Boğaz havası almak, hem de mizahın başkenti olan İstanbul'da, çizecek konular bulma sevdasındayım.

İstanbul'a bir buçuk saat mesafede çalışıyorum, daha doğrusu ekmek parası için sabah gidip, akşam çıkıyorum zoraki bir fabrikadan. Çalışan insan üretir ben ise tüketiyorum, akşam olana kadar zamanı yiyip bitmeye çalışıyorum.

Aslında zaman bizi yiyip bitirir ama benim için burada tam tersi. Mecburen bir şeyler üretiyorum tabii ama benim için pek bir önemi yok, aklım fikrim sanatta, yazmak, çizmek ve gezmekte.

Böyle olunca bir arabanız olmalı, işimi sevmiyorum ama parası fena değil. Ufak taksitlerle bir araba almıştım. Hafta içi yanına bile gitmem, selam bile vermem ona, kolunu kanadını açıp havalandırmam bile.

Ama hafta sonu oldu mu en iyi arkadaşımdır. Millet İstanbul'dan kaçarken ben oraya akarım çelik dostumla. Derdim gece hayatı, sabahlar olmasın partileri değil sanatın ve ilmin peşindeyim.

Sanatın merkezinde Cağaloğlu, Beşiktaş, Sirkeci, Taksim, İstiklal'de kalem kağıt elimde yazarım, çizerim, gezerim. Karikatüristlerle buluşur, yazarlarla konuşurum. Antika kafelerde, entel güzel ressamlar, fularımdan çektiği gibi yere çarpar beni.

Sigarayı bıraktım ama bazen pipomu yakarım İstiklal'de turlarken, havalı entelektüel bir zehirlenme uğraşıdır bu. Büyük adam, büyük sanatçı, büyük düşünür olurum duman altı ettiğim çıkmaz sokaklarda.

Eğlenceli, yemyeşil, Sapanca ve körfez manzaralı otoban yolculuğundan sonra, karşı tarafın keşmekeşinde boğulmamak için arabamı Harem'de bir otoparka bıraktım.

Buna rağmen, paranoyak bir güvensizlikle arabamın her yerini kontrol ediyor, içindeki çantamı bagaja alıyor, radyomu söküp torpido gözüne koyuyordum. Bence bu devirde paranoyak olmalı. Bu, özellikle İstanbul'da hayatta kalmak için gerekli...

Paranoyaklığın da ötesinde ben tam bir evham hastasıyım, pimpiriklinin tekiyim. Yatmadan kapıyı iki kere kitler, üstüne sürgü çeker, bir de sandalye dayarım arkasına.

Garanticiyimdir bazı konularda, riski hiç sevmem. Uçak sabah altıda kalkacaksa ben geceden gidip havaalanında sabahlarım, sandalyede, bankta uyurum. Hem telefonun alarmını kurarım, hem saatimin alarmını ayarlarım, hem de uyandırma servislerini ararım.

Bu kadar tedbirli olmama rağmen arabanın kaskosunu yaptırmamıştım. Çünkü bu sisteme bir türlü inanamadım. Yahu kardeşim arabamın başına bir şey gelir diye benden bir ton para alıyorsunuz her yıl, peki bu risk gerçekleşmedi benim paramı niye geri vermiyorsunuz?

Ve bir de kaskom var diye deli gibi serserice araba kullanan bir sürü insan vardır, canavardır onlar, maldan mal, candan can alan canavarlar. Bazıları da marifetmiş gibi konuşurlar: "Kaskoya her yıl şu kadar para veriyorum ama katbekat çıkartıyorum. Her yıl en az üç kazam var rahat rahat istediğim gibi kullanıyorum, makasta atıyorum, emniyet şeridini de gasp ediyorum, soldan sağlayıp sağdan solluyorum, bu kasko olmazsa olmaz canım, o olmasaydı canımız da malımız da ziyan olurdu doğrusu!"

Ya sabır! Cahillerin ve zalimlerin zulmünden koru bizi ya rabbi. İşte bende kasko olmadığından her türlü önlem, tedbire rağmen evham ve endişelerim hiç bitmez. Üşenmeden her seferinde, evin kapalı garajında bile çelik kelepçeyi takarım arabama.

Çubuk şeklinde çelikten bir hırsız kilididir o. Direksiyona bir kafasını, diğer kafasını da fren pedalına takıp kilitlerim, hırsıza kilit dayanmaz ama milyonlarca araba varken akıllı hiçbir hırsız onu açmakla veya kesmekle uğraşmaz diye kendimi rahatlatırım işte...

Son kontrollerden sonra içim daha rahat bir şekilde otoparktan ayrıldım ve Sirkeci vapuru için jeton sırasına girdim. Sıraya girer girmez değişik bir atmosfer, farklı ve pozitif bir enerji hissetmeye başlamıştım. İnsanların yüzü gülüyor, herkes tebessüm edip birbirine hoş sözler söylüyor tanıdık tanımadık herkes muhabbetle selamlaşıyordu.

Birbirini itip kakan yok, malını satmak için gözünüze sokan satıcılar, 'Abi yolda kaldım, Adapazarı'na gitmek için bir kaç kuruş be abi!" diyen de yoktu. Oysa İstanbul uçurumların, korkunun ve karmaşanın, riyakarlığın, sömürünün, aldatılmanın şehriydi.

Bu güzel atmosferde vapur yolculuğu başladı. Açık, tertemiz, berrak bir hava, masmavi deniz, yeşilliklere gömülmüş tarihi camiler, aslında kasvet veren betonarme binalar, çelik ve cam karışımı gökdelenler bile bir ahenk içinde idi o gün... Vapurun dış tarafındaki banklara oturdum ve göz kamaştıran bu manzarayı seyretmeye koyuldum.

Minik dalgaları üzerinde pırıl pırıl parıldıyor güneş, gündüz vakti yakamoz var sanki. Boğaz'da değiliz de Ege'de tekne turunda mıyız acaba? Bir tane çöp, izmarit, şişe yok denizde ve cam gibi en derin yerde bile dibi gözüküyor, billur gibi bir su. Akvaryumda dolaşıyor gibi rahat salına salına dolaşıyor balıklar.

Yunuslar, yunuslar geldi! Onlarca gülümseyen yunus gemininin hemen yaynında bizimle birlikte yüzüyorlar. Dalıp çıkıyorlar, elimi uzatsam dokunacağım. Ve dokundum da, uzattım elimi teknenin kar köpüğü dalgalarına, yunuslar da zıplayıp zıplayıp o sevimli kafalarını elime sürdüler, kaygan yumuşak yumuşak.

Yunuslar gitti sonra martılar geldi yüzlerce bembeyaz pürüzsüz, lekesiz martı. Simit aldım ve parça parça onlarla paylaştım, denize düşmeden havada mideye indiriyorlar gönlümden kopan susamlı sadakayı. Ve cennet kuşları gelip geminin parmaklıklarına kondular. Rengarenk parıltılı kanatları vardı. Üzerlerinde renkli lambalar taşıyorlar gibi gözleri aydınlatıyorlar, bakana bir mutluluk veriyorlar. Fakat ne simit, ne de jips yemiyorlardı.

Bu sefer yolculukta ne üşüdüm ne de yandım, ne rüzgâr vardı ne de sıcak; yani her şey kıvamındaydı. Ütopik bir gün yaşıyordum. Her şeyin bu kadar güzel gitmesi, iş stresini ve daha cumartesi gününden başlayan pazartesi sendromunu da üzerimden atmıştı.

Mutluluk denen şey bu olmalı ama insanoğlu nankördür, her şeyin iyi gitmesinden, her yerin güzel olmasından da sıkılır. Bazen de korkarız mutluluktan her şey yolundaysa mutlaka sonunda bir kazık, bir uçurum bir felaket vardır.

Harika bir rüya görmek gibi; hani dünyanın en güzel kadınıyla Maldiv'lerin kumsallarında, cam gibi denizin kenarında muhteşem yemeklerin olduğu, ipek örtülü bir masada akşam yemeği yersiniz. Herkesin gözleri sizin üzerinizdedir, bembeyaz giyinmiş onlarca garson size hizmet eder.

Güzelliğinden yüzüne bakamadığınız manken gibi kadın aşk dolu gözlerle size bakıyordur. Sen zengin ve şık, o narin ve cömert giyinmiştir. Yüzünüze dokunan meltem gibi uyum ve huzur içindedir her şey. İpek astardan kenarları altın işlemeli masa örtüsünün üzerinde altın tabaklarda

gümüş kaşıklarla daha önce hiç yeme-
diğiniz yemekler ağzınızda erir.

Ağzınızın tadı yerine gelince sıra
gönlü, kalbi, şehveti doyurmaya ge-
lir. Yakınlaşırsınız dudaklar dudakla-
rı, gözler gözleri, beden bedeni çeker.
Tam huzur, mutluluk, heyecan patla-
ması yaşanacakken uyanmak istersin,
tuhaf bir korku gelir yerleşir içine,
demir atar göğsünün tam ortasına, bir
şeyler olacaktır kötü şeyler. Bu dünya-
da bu kadar güzel olamaz her şey an-
cak cennete yakışır bu yaşananlar. İşte
o gün böyle bir şeydi.

Her şey iyiydi, güzeldi ama çizecek
bir şey kalmamıştı. 'Her şeyin iyi git-
tiği bir ortamda mizah yaşamaz ki' dü-
şüncesi ile Sirkeci İskelesi'ne vardım.
Burada çizmek için bir ton malzeme
bulacağımı umuyordum. Aslında bir
yanım da elim boş dönmeyi istiyordu.
Aman! Ben çizmeyeyim de insanlar
mutlu, huzurlu olsun.

Türkiye bir karikatürist için ya-
şaması zor ama çizmesi kolay bir ül-
kedir. Çünkü her taraf mizah malze-
mesi ile doludur. Evinizde eşinizden,
ailenizden tutun kapıyı açtığınızda
komşunuzdan, otobüse bindiğinizde,
haberleri izlediğinizde, sinemaya git-
tiğinizde, uçağa bindiğinizde, okulda,

işte, maçta her yerde tonla komik, trajikomik çelişkiler ve genelde kara mizah konuları bulabilirsiniz.

Eşeğe niyetlenenden tutun, evine kamyon girene, yalısına tanker toslayan, otobüste aşırı sıkışıklıktan hamile kalana, belediye çukurunda düşüp orada yaşamaya başlayana, Allah kitap deyip milleti soyanlara, fakirlerle ağlayıp yalılarda kalanlara, yolda omuz atanı vuranlara, kocasını aldattığı sevgilisini aldatırken yakalananlara, asla milletten olmayan vekillere, yanardöner yalan makinesi siyasetçilere, parktaki bank ile ilişkiye girenlere kadar bir mizah cennetidir ülkem.

Böyleyken karikatür çizmek çok kolaydır ülkemde ve çok tehlikeli. Demokratik bir ülkede doğruyu, hakikati espriyle anlatmak halkı güldürür, bazen de düşündür. Demokratik firavunlar halkın düşünmesinden hiç hoşlanmaz, hele onları düşündürenleri hiç sevmezler.

Çünkü demokrasi % 51'in % 49'a zulmü haline gelmiştir ülkemde, % 51 bazen Müslüman, bazen Yahudi, Türk, Kürt, bazen Alevi, Çerkez, Ermeni'dir. % 49 ise her zaman mazlum...

Yoksulluğun ve işsizliğin yüksek olduğu ülkemizde halkçı, eşitlikçi, sosyal söylem iktidar olamıyor. Çünkü fakirler kapitalizmi sevdi, bir de neyi sevdiklerini bilseydiler!

Vapurdan inişimde de aynı huzur ve ahenk devam ediyordu. Sırasına riayet edip birbirine tebessüm ederek yol veren insanlarla birlikte vapurdan indim.

Omzuma astığım çantam ve internet krizim gelir diye yanıma aldığım dizüstü bilgisayarımla Eminönü Meydanı'na doğru yola koyuldum. Yeni Cami'nin yanından geçtim.

Gerçi kolumdaki saatten, cebimdeki telefona kadar birçok şeyden internete girebilirdim. Ama büyük boy ekran keyfi başka oluyordu elbette.

Akıllı telefonlar gerçekten çok zekiler ama iyi bir roman geniş tuşlarını hissedebildiğiniz bir klavyede ve geniş HD bir ekranda yazılır. Yani ağırda olsa dizüstü bilgisayarımı dizimin yanından ayıramazdım.

Yine kuşlara yem atanlar, kaldırımlarda oturanlar, camiye girip çıkanlar, curcuna ve kalabalık... Binlerce insan olmasına rağmen insanı rahatsız eden tek bir gürültü yoktu, baldırımda titreşen akıllı telefonum hariç. Kendi kendime 'Allah'ım bu memlekete ne olmuş böyle?' dedim.

Gelişmekte olan ülkem sanki medeniyet atlamış. Gelişmiş, küresel bir güç haline gelmişti. Keşke bu kadar kolay olsaydı diye düşündüm. Keşke atıp tutup, şov yapıp, kahramanlık naraları atıp kabadayılık yaparak ülkem gelişseydi.

Keşke iyi siyasetçilerimiz, bizi dinledikleri gibi Amerikan başkanını dinleyebilseydiler, akıllı telefonlara akıl verebilseydi, sosyal ağlarla örebilseydik ülkemizi, Nepal'e gidip orada bir Mc Turco yiyebilseydik.

Eminönü Meydanı'nda seyyar satıcılara çarpmamak için dans ederek geçtikten sonra Galata Köprüsü'ne ulaştım. Köprüden yürüyerek geçip, Tünel'den İstiklal Caddesi'ne çıkıp dolaşmayı planlıyordum. Bu güzergâhın en sevdiğim kısmı köprüden geçişimdir.

Galata Köprüsü'nde de aynı hava devam etti. Güler yüzlü insanlar, kovaları dolu, etrafına zarar vermeden oltasını denize fırlatan balıkçılar, korna sesi duyulmayan kalabalık bir trafik vardı.

Galata Köprüsü sabunla, deterjanla silinmiş gibi terte-mizdi yerden bir tane izmarit, çöp, torba hatta balıkçıların kovalarından sıçrayan bir damla su bile yoktu. Tüten, du-man altı insanlar da yoktu, sanki kapalı alanlardaki sigara yasağı dışarda da uygulanıyordu, bir tane sigara için insan yoktu ortalıkta.

Galata Köprüsü'nden yağ gibi kayıp geçtikten sonra Karaköy'de bütün ışıklar yeşildi zaten. Işıkları geçtikten sonra etrafa bakıyorum da herkes temiz, ütülü kendi moda-sını yaratmış yürüyorlar.

Banklarda kaldırımda oturan hatta yürüyen insanların bile ellerinde kitap var. Herkes oturan, kalkan, koşan herkes kitap okuyor. Vatandaşımız kendinden geçmiş bir şekilde dalmış ilmin derinliklerine okuyor da okuyor. Şaşkın şaşkın yürüyorum.

"Ya Rabbi, ölmeden bana ülkemin okuduğunu, okuma kültürünün oluşmaya başladığını gösterdi ya, daha gam ye-mem" diyorum tebessümle.

Ve Tünel'in serinliği dokunuyor yüzüme, daha bir gevşi-yor tebessüm küçücük bir gülcük oluyor ve o nemli koku-yu çekiyorum içime misk gibi kokuyor. Yavaş yavaş tangur tungur çıkıyoruz tünelden yukarı doğru ama hızlı trenden hızlı bu ihtiyar tosbağa iki dakikada İstiklal'deyiz.

Nostaljik, ahenkli ve huzur dolu bir Tünel yolculuğun-dan sonra İstiklal Caddesi'ne ulaştım. Yine İstiklal Caddesi vıcık vıcık insan kaynıyordu. Ama ne omuz atan, ne dik dik bakan, ne de rahatsız eden bir gürültü vardı etrafta...

Bu ütopik ortamda mizah yapılmayacağını anladım ve tramvay durağında oturup gelen geçenin yüzüne bakıp

eskizler karalamaya başladım. Tabii karaladığım şeyler gülen insan yüzleriydi.

Durakta mutlu insanları karalarken şık giyimli entelektüel birisi yanıma gelip;

"Eline sağlık üstat güzel kalemin var, benim de karikatürümü çizer misin ve bu eşimin fotoğrafı onu da çizersen hediye edeceğim?" dedi binbir türlü jest ve iltifatla birlikte.

Ben de "Tamam dedim çizelim, antrenman olur" dedim.

Sanatseveri ve eşini fazla detaya girmeden kabaca karaladım. Bu basit karalama adamı kendinden geçirdi, bayıldı çizime beni yere göğe koyamadı ama cebime bir anda çıkardığı yüz lira koyu verdi cebime.

"Yahu ne yapıyosunuz, iki dakikada bir şey karaladım size bu parayı almam, lütfen geri alın!" dedim yüzüm kızarmış sesim incelmiş bir şekilde.

"Olur mu üstat! Sanatın değeri olmaz aslında paha biçilmez yani keşke daha çok verebilseydim, o sizin hadi görüşürüz" deyip Şişhane'ye doğru gözden kayboldu.

Allah allah ne oluyor yahu! Bir karikatüre on lira para isterdiğimizde bin tane laf eder, on tane hata bulurdu bu insanlar benim kafam niye büyük, burnum niye uzun diye, Pinokyo'ya çevirirlerdi bizi sokak ortasında.

Adamı çizdikten sonra birkaç kişi daha geldi ve onları da çizmemi istediler. Hazır elim ısınmışken devam ettim ve onları da yansıttım beyaz kağıdıma. Sonra başkaları daha geldi onları da çizdim.

Daha sonra başkaları da geldi ve başkaları, başkaları daha geldi. Nerdeyse karikatürünü çizdirmek isteyen bir kuyruk oluşmuştu.

Hepsi memnun kalıyor, kaşım niye yamuk, kafam niye büyük, sırtım niye eğri demeyip iltifatlarla oldukça cömert bir şekilde beni ödüllendiriyorlardı. Akşama kadar onlarca sanatseveri çizdim. Bir sanatçı olarak, hem maddi hem de manevi, çok mutlu olmuştum. Bu ülkede sanatın kıymeti de varmış demek ki vay be!

Sevilip, sayılıp, para etmemiz için ölmemiz veya uçuk kaçık, sapık bir hayat yaşayıp, ünlüler lobisinden olmamız gerekmiyormuş demek ki.

Yaşadığım bu inanılmaz İstanbul gezintisinden sonra kafam darmaduman olmuştu. İstiklal'i bir ileri bir geri birkaç kez dolaşıp, geldiğim güzergâhtan, yani İstiklal, Tünel, Galata Köprüsü, Eminönü ve Sirkeci İskelesi yolunu takip edip, yine aynı ve şaşırtıcı manzaraları görerek akşama doğru geri döndüm.

"Bu ülkede çizecek bir şey kalmamış yahu, herkes mutlu, huzurlu. Herkes okuyor anlıyor, düşünüyor cahil insan da kalmamış. Her taraf tertemiz, modern, medeni. Bütün mizahçılar topyekûn Afrika'ya, Ortadoğu'ya taşınsınlar, yoksa bu ülkede aç kalırlar" diye düşünüp tebessüm ederek Harem'de vapurdan indim. Dalgın ve yorgun arabayı bıraktığım otoparka doğru yürüyordum.

Çantamı, kalem ve kâğıtlarımı bagaja atıp direksiyona geçtim. İçimde sorunsuz bir gün geçirmenin ve güzel bir ülkede yaşamanın mutluluğu, mizah malzemesi bulamamanın da burukluğu ile arabayı çalıştırıp yavaşça ilerlemeye başladım.

50-60 metre gitmemiştim ki, arabanın arkasından gelen korkunç bir darbe sesi ile irkildim! Kalbim bir anda boğazıma gelip dörtnala atmaya başladı. Nefesim kesildi.

Kafamı çevirip arkaya baktığımda sağ arka camımın çatladığını gördüm. Yirmi yaşlarında, kara gözlü, kara tenli, üstü başı yırtık pırtık, kir ve pas içinde olan bir genç elindeki bıçak ile arabanın camına vuruyor! Bir eliyle de kapıyı açmaya çalışıyordu.

O an tek gördüğüm gencin gözleriydi. Şimdilerde 3-5 liraya alınabilen uyuşturucuların etkisiyle yukarıya kaymış gözlerde, çatılmış kaşlarda, sıkılmış elinden kanayan, kaynayan, taşan nefreti gördüm.

Arabanın arkasına attığım bilgisayarımın peşindeydi, beni görmemişti bile. Hâlâ vuruyordu cama ama beyni, kolu bacağı uyuşmuştu, yorulmuştu gücü tükenmişti. Korkumu yenip ona yardım edebilseydim keşke bu kadar mutlu insanın yanında böyle yalnız kalmasaydı keşke.

Bu manzara karşısında şoka girmiş, arabayı sağa sola doğru savuruyordum. Çok şükür ki arabanın kapıları çalıştıktan bir süre sonra otomatik olarak kapanıyordu.

Teknoloji zenginlerin yanındaydı çünkü pahalıydı. Şu yüksek teknoloji denilen tek dişi kalmış canavar, uzaya zengin turları düzenleyip, çocukları et beyinli yapan tabletler üretip, dünyayı yok eden silahlar yapmak yerine buğdayı bedava, ekmeği bedava, üremeyi barınmayı beslenmeyi bedava yapsa ya!

Daha sonra kendime geldim. Önümdeki birkaç beton kolonu kıl payı sıyırarak cıyaklayan tekerlerle gaza basıp hızlandım. Benim hızlanmamla kapıyı açmaya çalışan genç, yere düşüp yuvarlandı. Hiç arkama bile bakmadan, korku içinde, son gaz oradan uzaklaştım.

Otoban gişelerine geldiğimde ruhum korku ve acıma hisleri ile doluydu. Lanetler okuyarak kendi kendime;

"İşte Semih, işte rüya bitti! Sana yine çizilecek kara mizah malzemeleri çıktı!" dediğimde dört şeritli paralı ve güvenli yol bana yeşil ışık yakmıştı bile.

Otaban gişelerinden çıkıp huzura doğru yol almaya başlamışken iki polis elini kaldırıp arabayı kenara çekmem için işaret yaptılar.

"Eyvah! Şimdi yandık arabanın muayenesi de geçmişti, cezayı yapıştırdılar şimdi!" deyip ruhsatı ehliyeti hazırlayıp arabamı yavaşlatıp durdum.

Arabadan inmiştim ki polis arabasının arkasından iki tane polis şapkası takmış mini etekli, göbeği açık, uzun bacaklı iki kadın iniverdi. Yaklaştıklarında şu televizyonlarda gördüğümüz ünlü manken, şarkıcı, oyuncular olduğunu fark ettim. Birinin elinde mikrofon vardı hızlıca gelip boynuma sarıldı.

"Biz, Yakalarsam MUCK MUCK şaka programından Aslı ve Asuman şakalandınız beyefendi! Lütfen kameraya el sallayın" dediler ağdalı gevşek gevşek sakız çiğner gibi konuşup gülerek.

Ben de kameraya dönüp suratımı lastik gibi çekiştirip gülmeye çalışarak "Peki, yaşadıklarımın hangisi şakaydı!" diye sordum.

Evet, mizah ölmüştü buralarda. Ama asıp kesen diktatörlerin korkusundan değil. Sanatta para yok deyip karikatüristlerin elini, kalemini, aklını bırakmasından değil.

Eli kalem tutan, tarama ucunun belini kırıp harika çizimler yapacak karikatürist kalmadığından değil. Gazetelerin, dergilerin bütün karikatüristleri kovmasından da değil!

Karikatür mutluluktan, zenginlikten ve demokrasiden bitmişti ülkemde.

Beyaz Show Macerası

Yazarlık, çizerlik ve mühendislik arasında üç banttan sayı almaya çalışırken telefonum derinden bir titreyişle çalıverdi.

Tanımadığım Avrupa yakasından bir numara, annem tanımadığın numaralarla konuşma demişti ama tanıdıklarımızla bile konuşmuyoruz ki. Herkes kendi âleminde, savrulmuş dünyanın binbir tarafına.

Çocukluğumuzu hayatımızı, ekmeğimizi, kanımızı paylaştığımız en yakın akrabalarımızı bile belki bayramda görüyoruz. Böyle olunca, gizemli numarada bir dost sesi duyarım diye "Alo!" dedim.

Beyaz Show'dan arıyorlardı. Beyaz bana çok benzediği için programa katılmamı istediler. Fakat bütün ısrarıma rağmen program formatını öğrenemedim. Sonra heyecan verici bir merakla Kanal D'nin yollarına düştüm. Meğer bizim arkadaşlar internet sitelerine fotoğraflarımı göndermişler.

İşte medya böyle bir şey; veziri rezil, rezili vezir yapar. Birilerinin 50 yılda geldiği yere, medyatik olanlar iki ayda gelir. Hukuk, eşitlik olmayan bir ülkede medyanın da adaleti yoktur. Kimilerini zengin ve şöhretli yapar kimilerini de fakir ve itilmiş.

Rabbimin kiminize açar genişletirim, kimine kısar daraltırım, sizi varlık ve yoklukla imtihan ediyoruz, gerçek başarı Allah'ın rızasını kazanmaktır hükümleri olmasa insan mahzun ve berduş hissederdi kendini.

İşin hakikati böyle olunca belki bir kitabımı anlatırım, karikatürler çizer vatandaşı güldürürüm, daha çok insana mesaj veririm diye hayaller kuruyorum ve telefonun diğer ucunda medya devi olunca, heyecanlanıyor insan.

Ama bu devlerin savaşıydı, onlar medya deviyse ben de fil gücünde kırmızı bir karıncayım ama bilmezler. Kalemimin ucunda her şey gerçektir en zengin kral, en fakir bilge, en zayıf balina, en ağır sivrisinek olurum bir fırça darbesiyle. Rüyaları gerçeğe gerçeği rüyaya çeviririm en güçlünün, en zenginin yaşayamadığını yaşarım, bir rüya kadar gerçek ama bilemezler.

Üniversite yıllarından beri Beyaz'a çok benzetildim. Aslında Beyaz'ın çok ekmeğini yedim. Okulun en popüler insanlarından biriydim, bir yere girdiğimde herkes döner bakar aralarında konuşurlardı, artık benzerlikten mi yoksa karizmadan mı bilmem. Bırakın benzetmeyi o sandıkları bile olurdu. Vapurda, trende defalarca "Aha! Beyaz şimdi fantasını çıkaracak" tepkileri ile birçok kez karşılaşmıştım.

Bir yanda gurum okşanıyor bir yanda da sinir oluyordum. Yıllarca onlarca esere imza at, hayatına sanata, üretmeye, mesaj vermeye ada ama medyanın esintisi, kırıntısı bile daha çok saygı ve ilgi görmenize sebep oluyor.

Her şeyin bir sebebi var elbette mutlu olmanın ise bir sebebi olmamalı, herkes her yer de her şekilde mutlu olabilmeli, en büyük başarı, en büyük zenginlik bu.

Program asistanlarından biri aradı ve taksim meydanında AKM'nin önünde beklememi söyledi, servis aracı beni oradan alacakmış. AKM'nin önü bir curcuna; dizi setlerine giden ünlü, ünsüz, figüran ve jön kalabalığı mı ararsın, buluşmaya gelen gerçek hayatın oyuncuları, yani modern sevgililer mi dersin, organizasyon ajanslarının özgür emekçiler yani üniversite öğrencileri, hepsi rengarenk karınca sürüsü gibi hareketli bir kalabalık.

Sonra şöyle dikkatle bakınca, takım elbise giymiş sanki bana benzeyen birilerini gördüm, hakikatten bazıları Beyaz'a da benziyordu. Aralarında konuşup, gülüşüyorlar muhtemelen onlar da servis bekliyorlardı. Ulan yalnız beni çağırmamışlar! Ben de ne safım sanatımıza, ilmimize, eserlerimize değer vermişler de beni konuk olarak çağırmışlar diye düşünmüştüm.

Bir burukluk, bir kırıklık matkap ucu gibi olmuştum, yeri delip içine girecektim oradan da başka boyutlara. Şok geçtikten sonra merak ettim onların psikolojileri, düşüncelerini, hayallerini ve yanlarına gittim. Onlara yaklaşıp bir zamanlar kaybettiğim kardeşlerim, hem de ikiz kardeşlerim gibi sarılmak istedim bir an.

Onlara da acıdım, kendime de hepimiz mağdurduk. Tanıştıktan sonra gayet, mutlu, heyecanlı olduklarını gördüm. Çoğu üniversite öğrencisiydi, tabii onlar için güzel bir eğlence, bedavadan şova gidip belki okulda daha da popüler olacakları bir imkan. Benimse içim bomboştu gitsem de birdi gitmesem de birdi. En sonunda servis geldi.

Servisle gidişimiz de trafik gibi sıkışık bir macera, keyif-li bir yolculuktu. Çocukların hepsi çok heyecanlı ve esprili, şarkılarla, türkülerle stüdyonun yolunu tuttuk. Herkes bir espri patlatıyor, neler olacağı, nasıl bir program yaşanacağı hakkında tahminlerini söylüyordu.

Ben se en iyi yaptığım işi yapıyordum, düşünüyordum; acaba servis aracında gizli bir kamera mı vardı? Sonra bizim hallerimizi, o masum telaşımızı programda gösterip te bizimle gırgır mı yapacaklardı. Ama o kadar bile kıymetimiz olmayacaktı.

Her neyse, İstanbul'un karmaşa ve keşmekeşinde boğuşarak geçen uzun yolculuktan sonra stüdyoya varmıştık. Beyaz'ın asistanını ve yanındaki onlarca ikiz kardeşimi görünce merak ettiğim formatın ne olduğunu hemen anlayıverdim. Beyaz benzerlerini tek tip giydirip programa çıkartacaklar ve seyirciye alkışlatacaklardı.

Gelmişken çıksam mı çıkmasam mı, yoksa şöyle bir kafayı gösterip izleyicilere mi karışsam soruları fırıl fırıl dönmeye başladı kafamda. Sonra bir anda filmi kopardım.

Program içeriği tam bir zırvalıktı. Yirmi kişiyi dizmişler bir sıraya; yarısının da Beyaz'la alakası yoktu zaten... Beyaz denizinde sıkış tıkış köpürtüyorlardı bizi beyaz beyaz.

Bir curcuna, bitmeyen karmaşık bir akış. Nerede duracaksın, ne söyleyeceksin, söyleyebilecek misin, görünecek misin belli değil. Biz oraya imza istemeye gitmiş hayranları değildik. Kompleks, kapris yapmamış, ayağına kadar gelmiştik, daha değerli olmalıydık.

Ben orada sanatımla da var olmak isterdim. Ve Kasım ayında çıkacak kitabımdan bahsedebilmek ve yurtdışınca açılacak sergimden...

Bu nedenle izin isteyip ayrıldım, "Başka bir formatta yer verirseniz, seve seve katılırım" diyerek.

Beyaz gelip gitmemem için dil döktü ama bir bahane uydurup kaçmalıydım. Kalsam ne faydası olurdu, ne de zararı boşlukta kalmayı, boş işlerle uğraşmayı, kafamı da boş bırakmayı sevseydim, ben olamazdım.

Bana o ekibi, o stüdyoyu, o lobiyi verselerdi, ben o programı yapardım da acaba o ömrünü verse bizim bir cümlemizi yazıp bir çizgimizi atabilir miydi? Eee adalet öbür dünyada inşallah, gerçek başarı da orada.

Beyaz'la tanışmış olduk, iyi insan, güzel insan. Portre karikatürünü çizip hediye ettim. Bana bayağı bir benziyor. Ben Semih olarak var olmayı ve kendimi eserlerimle var etmeyi tercih ettim.

Onun da işi kolay değil. Ünlü olmak 'Zencilerden nefret ediyorum' yazılı bir tişörtle Harlem'de dolaşmak veya kolunuzda Yahudi damgasıyla, Nazilerin eğlendiği bir bara girmek gibi bir şey.

Ünlü olduğunuzda asla normal bir hayatınız olmaz. Sokağa bile çıkamazsınız, halk Nazi, hayranlar zenci olur.

Kimilerinin söyledi gibi:"Keşke ünlü olmak bir hafta verilip sonra alınan bir şey olsaydı" Tabii fakirin hayali zenginin can sıkıntısı…

Bu kadar acının yanında haklı olarak milyon dolarları ceplerinden, mankenle de ciplerinden eksik etmezler.

Medya dünyası bir taraftan sıkılan, bir taraftan şişirilen bir balon sanki… Öyle hayal ürünü bir hayata kendilerini kaptırmışlar ki. Herşeyi kamera önü için yaşayıp

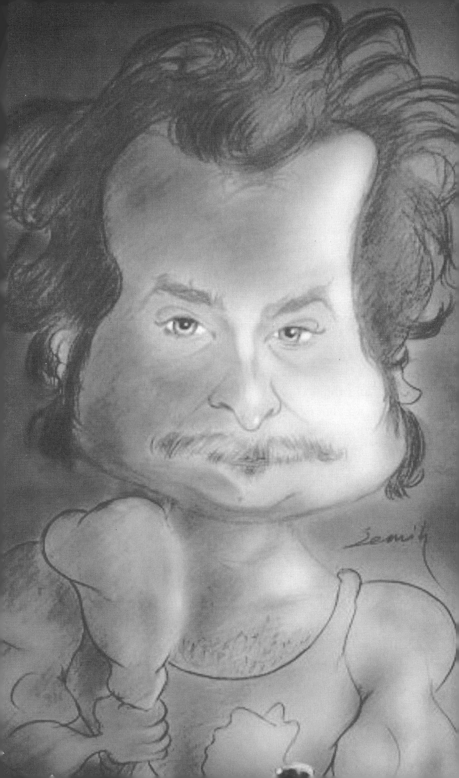

hesaplıyorlar. Kamera arkasındaki gerçek hayatın ve insanların zerre değeri yok onlar için. Her şey rol ve hesap yani.

Aslında yaşamıyorlar. Ne de zorlu bir hayat. Her şey reyting canavarını beslemek için birer kurban ve araç. Birkaç dizide ufak rollerim olmuştu ama bu dünyanın bu kadar yapmacık olduğunu hissetmemiştim.

Yani şöyle istediğiniz zaman gerile gerile Kadıköy-Eminönü vapuruna binip, çay simit yapıp, boğazı, köprüleri, martıları, gemileri, insanları, hayat denen sıradan karmaşayı izleyerek, beyninizin derinliklerine kadar burnunuzu karıştırarak, ayaklarınızı uzatıp karşı koltuğa koyarak, berduş, salaş, dökük ve rahat tam kendin gibi, çöplüğünün kralı olarak Gülhane'ye geçememek gerçekten çok acı olmalı.

Bir de bazı ünlülerin abuk subuk, sapık eğilimleri vardır. Etraflarındaki onca taş, birbirinden güzel, özel kadınından sıkılıp yeni değişik heyecanlar ararlar. Kimi mutluluğu uyuşturucuda, kimisi ise hemcinslerinde arar.

İşte yalan dünya, varoşta yaşayan asgari ücretle fabrikada tüttün satanlar mutlu, zenginlikten, şımarıklıktan, doymuşluktan, şöhretten azıp ot saranlar mutsuz!

Genelde yurtdışında kadınların hayran olduğu şarkıcı, oyuncuların çoğu bir anda cinsel tercihlerini değiştiriveriyorlar. İnsanoğlu nankör işte makam, servet ve şöhretten de sıkılıp, savurganlık yapar mutluluktan. Böyle şöhret orda kalsın.

Tüketim toplumunun şımarttığı şarkıcı, oyuncu, şovmenler huzuru sapkınlıkta bulurlar ve bir çırpıda unutulurlar. Ama gerçek sanatçı yüz yıl sonra bile hayırla, sevgiyle ve şükranla anılır.

Hepsi bir tarafa, benzerlerimle buluşmak unutulmaz bir andı. Kendinizi öyle tuhaf hissediyorsunuz ki her bakışta kendinizi aramak, "burnum böyle miydi", "alnım şöyle miydi", "gözleri daha büyük sanki", "yok yok kaşları daha kalın" diye diye...

Gelen insanlar iyi, güzel, sevimli insanlardı ama oralarda, umudu bile ucu açık vadeyle, boş senete imzayla satıyorlar. Buralarda bir tek Allah bir derseler inanın gerisi yalandır.

Eğlendim, heyecanlandım, kırıldım ama yeni insanlarla tanışmak, biraz sahne tozu, stüdyo havası, ünlü olma geyiği ilham sepetimi yazılacak, çizilecek doğmamış ezgilerle, çizgilerle doldurmuştu.

Yaşanan ve yaşanacak her şey büyük sanatçının katındaki kitapta yazılmıştır, çizilmiştir. O yüzden başa gelen kötü şeylere üzülüp kahrolmayın, iyi güzel şeylere de fazla sevinip şımarmayın.

İşte halkın magazini bu kadar olur. Neyse, bari bundan da bir yazı çıktı.